la vie avant la vie

HELEN WAMBACH

la vie avant la vie

traduit de l'américain par Chantal Monterastelli

Éditions J'ai Lu

Cet ouvrage a paru sous le titre original :

LIFE BEFORE LIFE

INTRODUCTION

POURQUOI J'AI ENTREPRIS CETTE RECHERCHE

« Qu'est-ce qui vous a incitée à faire des recherches sur la vie avant la vie? Les psychologues, ajoute le journaliste qui me questionne, sont plutôt soucieux de ne pas sortir des limites de la science en général; ils n'aiment guère s'aventurer dans les sables mouvants des choses occultes. » En effet, pourquoi donc avais-je posé à d'autres ces étranges questions? « Avez-vous choisi de naître? » « Avez-vous connu votre future mère dans une vie antérieure? »

En fait, je n'ai jamais trouvé de réponse facile à la question de ce journaliste. J'ai éludé le problème en disant qu'après avoir enseigné pendant douze ans la psychologie à de jeunes universitaires, je m'ennuyais. « Si vous trouvez que l'introduction à la psychologie est fastidieuse, leur disais-je, essayez donc de l'enseigner quelques années durant! »

C'est vrai, je n'ai jamais cru que la modification du comportement ou que l'apprentissage d'une théorie pouvait donner un nouvel aperçu du comportement humain. Tant qu'on me payait pour enseigner, j'adhérais à la théorie selon laquelle seules les récompenses et les punitions modifient le comportement de l'individu. Mais à part cela, les travaux de Skinner et de ses disciples sur ce thème me laissaient plutôt indifférente. J'ai entrepris le métier de psychologue parce que je pensais que c'était un moyen sûr d'approcher les gens et d'apprendre comment fonctionne l'esprit humain. J'ai trouvé par la suite que la recherche psychologique ne m'avait pas appris autant sur les pensées et les réactions humaines que mon travail de psychothérapeute avec mes patients. C'est pourquoi j'ai laissé la recherche à ceux qui aiment vaquer en blouse blanche, élaborant des théories dont l'intérêt me semblait de moins en moins évident. Les sujets de ces recherches étaient surtout des rats blancs et des étudiants de deuxième année de faculté, ces deux groupes étant les plus disponibles. Quant à moi, je ne souhaitais plus rien apprendre sur les rats et les étudiants de deuxième année.

En commençant à travailler en psychothérapie avec mes patients, je fus de plus en plus étonnée par les extraordinaires moyens avec lesquels l'être humain réagit face à ses problèmes. Je commençai cette activité avec, en tête, le schéma « docteur-patient »; je réalisai vite qu'il ne s'agissait là que de conventions sociales et que la relation qui s'instaurait dans la salle de consultation avec quelqu'un qui venait me voir dans l'espoir de résoudre un problème était tout autre. En vingt ans d'exercice de la psychothérapie, je n'ai jamais trouvé deux êtres semblables. Et je n'ai jamais trouvé une explication applicable à plus d'un cas. J'étais fascinée par l'extraordinaire singularité de chacun et par la complexité des moyens mis en œuvre pour faire face à un certain environnement. Je le suis toujours, et de plus en plus. Les théories psychologiques me semblaient de plus en plus superficielles. Je voulais aller plus loin et explorer cet aspect de la personnalité qui, pour moi, a son importance, à savoir la dimension spirituelle de l'homme.

Mon intérêt n'était pas uniquement professionnel : moi aussi je suis un être humain et je vis depuis cinquante-trois ans dans ce XXe siècle tumultueux. J'ai partagé avec mes concitoyens tous les courants propres à notre époque : les sables mouvants des alignements internationaux, les caprices de la culture américaine, les tentatives d'adaptation à une société dont la technologie est en pleine évolution. La vie continuait pour moi aussi, pas seulement pour mes « patients ». Et, au fur et à mesure que, témoin et acteur de ce siècle, je suivais les courants de notre culture, certaines questions se posaient à moi avec insistance : Pourquoi sommes-nous ici? Pourquoi toutes ces émotions, ces luttes et ces angoisses?

Je me souviens d'un jour où ma mère, alors âgée de quatre-vingts ans, sortit de son brouillard pour me demander, les yeux brillants de terreur : « Je vais mourir, n'est-ce pas? Aide-moi! » Comme les lecteurs de cet ouvrage, j'ai dû faire face au temps qui passe et à la mort des êtres chers. Il me semblait que ma mère s'était ouverte comme une fleur dans son enfance et que maintenant qu'elle avait quatre-vingts ans et était prête à quitter cette vie, son esprit se refermait doucement comme une fleur à la fin de la journée. Son esprit vagabondait, et elle confondait ses arrière-petits-enfants avec ses compagnons de classe. La boucle de sa vie se refermait : elle revivait ses premières expériences. Mais à travers ce nuage de souvenirs qui la menait doucement vers la mort et plus loin encore, à un moment précis, son esprit redevint lucide et elle fut terrifiée. Elle savait qu'elle allait mourir et elle avait peur.

Sa vie avait été douce, dans le cocon de la petite-bourgeoisie américaine. Elevée dans la religion méthodiste, elle avait accepté, sans jamais se poser de questions, la doctrine selon laquelle on doit toujours être gentil avec autrui, aller à l'église chaque dimanche et croire en l'autorité des ministres du culte et en leur connaissance des Ecritures. Mais lorsque, à travers son nuage, elle prit subitement conscience de sa mort, tout cela ne lui suffit plus. Qu'est-ce qui l'attendait après la mort? Je ne pouvais pas grand-chose pour la rassurer. Elle me demanda de lui lire la Bible; je le fis, en choisissant les passages qui insistent sur l'immortalité de l'âme, mais je ne suis pas certaine qu'elle m'entendait. Sa main osseuse s'agrippait à moi; ses yeux s'embuèrent de nouveau, et elle retourna à ses pensées nébuleuses. Quatre semaines plus tard elle était dans le coma et quitta officiellement cette vie trois jours après avoir prononcé ses dernières paroles. Elle était doucement partie vers ce qu'elle craignait être la mort de l'âme.

Mais qu'est-ce que la mort? Et puisque nous devons mourir, alors pourquoi venons-nous au monde? Il est très présomptueux de ma part de tenter de répondre à des questions auxquelles les philosophes n'ont pas encore apporté de réponse depuis que le monde existe. Mais d'autres questions me venaient à l'esprit et elles allaient orienter mes recherches : le monde de ma mère était un monde de sécurité et d'ordre. Née en 1894, elle avait vécu les inventions technologiques de son temps comme un indéniable progrès. Elle ne s'étonnait pas plus de l'automobile, de la radio, de la télévision, de l'avion, que des certitudes tranquilles de son enfance protestante, bercée par le pas des chevaux. Pour elle, le progrès était synonyme de lumières et le monde allait devenir plus riche et meilleur. Elle a vécu le Rêve Américain sans jamais se poser de questions.

Moi, j'étais d'une autre génération. Née en 1925, je me souviens des frayeurs que la Grande Dépression fit apparaître sur les visages des hommes dans la rue. Bien qu'élevée dans le confort, je vivais dans le Midwest, là où la grise réalité de l'industrialisation avait grignoté les paysages de verdure. Dans ma jeunesse, je sentais que la technologie apportait la laideur, la division entre les hommes, et des changements profonds dans notre perception du monde. En nous éloignant de la terre et en nous efforçant de conquérir toujours plus, nous avons acquis le pouvoir divin de voler dans le ciel, de répandre la pluie ou la mort grâce à nos armes et à nos bombes. Nous sommes devenus des dieux de tonnerre et de miracles, qui peuvent déplacer les montagnes avec leurs bulldozers. Mais en bougeant ces montagnes, nous avons mis à nu des filons que nous n'avons pas exploités. Et en faisant pleuvoir les armes du ciel comme les anciens dieux des volcans, nous avons laissé derrière nous, avec notre innocence, des monceaux de cadavres. La Seconde Guerre mondiale nous a montré que ce n'est pas seulement contre la guerre qu'il faut lutter mais aussi contre quelque chose dans le cœur de l'homme qui lui permet de détruire sauvagement et à une grande échelle ceux de ses semblables qui lui ont déplu. Dans le monde du simple fermier ou de l'homme de la tribu, la doctrine du talion venait des animaux et de leurs luttes pour étendre leurs pouvoirs territoriaux et parvenir à se nourrir. Mais lorsque nous, humains, sommes devenus des dieux et avons discipliné le pouvoir de l'atome dans une bombe, la loi tribale nous est devenue insupportable.

Qui a vécu le XXe siècle jusqu'en 1978 sait bien que l'homme a découvert quelque chose de nouveau lorsqu'il s'est échappé des frontières de ses villages et n'a plus été limité dans ses voyages. Les dieux ancestraux et la compréhension d'un univers fondée sur l'idée simpliste d'un groupe qui détiendrait plus de vérité qu'un autre sont des luxes que nous ne pouvons plus nous offrir, maintenant que nous sommes devenus des dieux. Nous devons aujourd'hui trouver notre place dans l'univers et la vraie nature de notre être. Car, à moins de nous dépasser, à moins d'atteindre cette partie de notre conscience qui dépasse les simples limites humaines, nous devons, soit retourner au monde primitif en détruisant notre monde technologique, soit achever notre histoire en tant qu'espèce en rendant notre monde inhabitable.

Ce besoin de comprendre davantage est très répandu dans notre culture. Certains tentent de revenir aux croyances des tribus anciennes, acceptant aveuglément des doctrines établies il y a des milliers d'années. Ils espèrent qu'en revenant à une innocence antérieure et à une dépendance des mystères d'un dieu que nous ne pouvons connaître, nous pourrons nous sauver des conséquences de nos propres actes. Certains ont compris qu'il n'y avait pas de retour en arrière possible. Nous sommes devenus des êtres raisonneurs qui utilisent leur cerveau pour comprendre l'univers physique, et quand il a été compris, pour le changer. Nous sommes devenus des dieux qui peuvent faire des miracles sur terre. Mais maintenant, nous devons devenir des dieux capables de comprendre profondément qui nous sommes, d'où nous venons et quel est notre but.

Voilà pourquoi j'ai entrepris cette recherche originale. Je ne connaissais pas les réponses, bien que je devinsse de plus en plus attentive, comme beaucoup d'entre nous, aux mondes de la conscience en dehors de notre perception physique. En tant que psychologue, je sais que certaines profondeurs de l'esprit sont inconnues à beaucoup d'entre nous. Et c'est cette partie-là de l'esprit humain que je voulais atteindre, pour savoir ce qui s'y trouvait qui n'était pas encore reconnu ni exprimé. Je savais que l'hypnose permettait de pénétrer dans l'inconscient, ou dans des parties de notre conscient normalement fermées à notre perception. Quelles réponses allais-je trouver là?

C'est ainsi que j'ai commencé mon exploration.

1

COMMENT J'AI MENÉ CETTE RECHERCHE

La neige recouvrait le sol autour de l'hôtel de Chicago. Dans la salle de conférence, tous rideaux tirés, cinquante-quatre personnes étaient allongées sur des couvertures posées à même le sol. Le blizzard qui avait envahi la ville en janvier 1978 avait retardé nos séances d'hypnose; mais finalement, chacun était là, prêt à chercher dans son subconscient les raisons de sa naissance.

Les lumières baissaient et la pièce était maintenant plongée dans l'obscurité; je n'entendais plus que le bruit de la chaufferie voisine. Mes cinquante-quatre sujets avaient déjà expérimenté, sous hypnose, deux voyages dans des vies antérieures, au cours des trois dernières heures; je savais donc que 90 pour cent d'entre eux répondaient à mes inductions hypnotiques et se souvenaient de vies passées. Je m'assis dans un fauteuil en regardant cette marée de corps et cette étrange expérience m'étonna encore. Des gens qui n'avaient jamais été hypnotisés auparavant, des gens dont certains avaient parcouru jusqu'à quatre cents kilomètres pour venir ici étaient maintenant étendus en silence et attendaient que ma voix les guide vers le plus fabuleux des voyages, celui des origines de leur personnalité.

Je commençai l'induction pour le « voyage vers la naissance » comme je l'avais fait déjà quatre cents fois. Les mots me venaient à l'esprit comme le déroulement d'une bande magnétique et j'avais appris à laisser vagabonder mon esprit indépendamment de ce que je disais. J'entendais alors ma voix comme si elle venait de loin. Je savais que mes perceptions étaient altérées pendant que je conduisais ces séances.

« Vos yeux sont fermés et cela vous semble bon d'avoir les yeux fermés. Les muscles de votre visage se relâchent. Vous relaxez maintenant les muscles de votre mâchoire et ainsi votre langue se détendra au fond de votre bouche. » En disant cela, je me demandai, encore une fois, comment il se faisait que, lorsque les muscles de leur mâchoire étaient relâchés, la pensée de mes sujets était alors uniquement centrée sur ma voix. Avec les muscles des mâchoires, c'était le centre de la parole qui se mettait en sommeil. Apparemment, les sujets passaient du centre cérébral de la parole – le lobe temporal gauche du cerveau – à d'autres centres, situés du côté droit de leur cerveau, d'où semblent provenir les rêves, la création artistique, la perspicacité scientifique :

« La relaxation descend maintenant des muscles de votre mâchoire aux muscles de votre cou, puis à vos épaules, à vos bras, à vos coudes, à vos poignets, à vos mains et à vos doigts. Vous êtes profondément et paisiblement relaxé. » Mes bras se détendaient sur les bras du siège tandis que je continuais à donner mes instructions :

« Vous relaxez maintenant votre torse et votre taille, et votre respiration est régulière. » Je me sentis moi aussi relaxée, et ma respiration changea. Le ton de ma voix était plus bas et son débit plus lent. Son rythme correspondait à celui de la respiration que je suggérais à mes sujets.

« La relaxation s'étend maintenant de votre taille à vos hanches, à vos cuisses, à vos jambes et à vos chevilles, à vos pieds et à vos orteils. Je vais compter jusqu'à dix, vous allez vous détendre de plus en plus... »

A ce stade précis de l'induction hypnotique, j'adresse en général des pensées de réconfort à tous mes sujets. Je ne me sens pas bien si je ne leur adresse pas ces pensées tandis que je les fais s'enfoncer plus avant dans leurs souvenirs. C'est à ce stade que je peux sentir si quelqu'un dans la pièce a des difficultés. Je ne pourrais pas dire exactement quoi, car je ne suis jamais sûre d'avoir une communication télépathique avec les autres. Comme la plupart d'entre nous, j'ai besoin de preuves objectives avant de pouvoir accepter la télépathie comme un fait. Mais lorsque je sens que quelqu'un est angoissé, dans un coin de la pièce, je lui envoie une pensée, l'assurant que tout ira bien et que chacun doit me faire confiance. Ma voix continuait à débiter d'un ton monocorde :

« Un... de plus en plus profondément. Deux... de plus en plus relaxé. Trois... Quatre... Cinq... Six... Sept... Huit... Neuf... Dix. »

Au cas où quelqu'un se trouverait en difficulté, j'ajoutai :

« Vous allez être très bien. Tous vos muscles sont relâchés. Tout votre corps est maintenant détendu mais votre esprit est plus alerte qu'à l'ordinaire et les souvenirs vous viennent facilement. Je veux que vous alliez chercher dans votre mémoire une photo de vous entre les âges de treize et dix-huit ans. Concentrez-vous uniquement sur cette image. Regardez bien ce que vous portez sur cette photo. Vous êtes maintenant de nouveau à cette époque. Vous portez ces mêmes vêtements que vous avez vus. Est-ce que vous les aimez? Que ressentez-vous dans votre corps? »

En prononçant ces mots, un cliché traversa mon esprit. Je me revis comme j'étais il y a quarante ans, habillée d'un ensemble de coton rayé. Je revoyais mon corps jeune, et maintenant que ce souvenir revivait en moi, je sentais ces vêtements sur mon corps. J'entendis ma voix poursuivre :

« Quelles chaussures portez-vous avec ces vêtements? » Dans ma tête, je revis une paire de chaussures anglaises usagées mais confortables. Je souris en pensant à toutes les paires de chaussures évoquées par les sujets à ce moment précis. Je me posai des questions à propos de tous ces vêtements qui avaient été oubliés et revenaient maintenant en mémoire. Ils étaient quelque part dans le passé, se matérialisant mystérieusement quand nous voulions les remettre. J'eus le temps de me souvenir du compte rendu d'une des premières expériences, écrit par une de mes patientes plusieurs semaines auparavant, et où elle avait noté :

« Je ne pouvais voir que mon visage sur cette

photo, mais soudain, je me suis retrouvée avec les vêtements que je portais lorsqu'elle a été prise. Tout était parfaitement clair dans mon esprit. Décidément, je ne comprends rien au phénomène du souvenir sous hypnose, mais c'est passionnant! »

« Maintenant, remontez dans le temps et revoyez une photo de vous prise entre les âges de six et douze ans. Où étiez-vous lorsque cette photo a été faite? Souvenez-vous des moindres détails de l'endroit où ce cliché a été pris. »

Comme ma voix prononçait ces mots, je me revis dans le jardin de ma grand-mère, dans l'Iowa. Je revis le vieux garage et le jardin où la photo avait été prise. Combien d'autres jardins, combien de maisons revenaient en ce moment en mémoire aux cinquante-quatre autres personnes présentes avec moi dans cette pièce?

« Vous êtes maintenant en classe de huitième. Vous êtes assis à votre place dans cette classe. Où sont les fenêtres, à votre gauche ou à votre droite? Le maître, ou la maîtresse, est devant vous. Vous voulez lui demander quelque chose et vous vous souvenez de son nom. » Ma maîtresse s'appelait Miss Forsberg; je n'avais pas pensé à elle depuis au moins trente-cinq ans. Les autres se souvenaient-ils aussi?

« Maintenant vous remontez encore dans votre mémoire. Trouvez une photo de vous prise entre un et cinq ans. Regardez dans les yeux cet enfant qui est vous. Vous souvenez-vous d'avoir eu un aussi petit corps? Vous avez maintenant trois ans. Vous êtes dans une baignoire. Baissez les yeux et regardez vos cuisses, vos genoux, vos jambes, vos chevilles, vos pieds, vos orteils. Quel effet cela fait-il d'être dans un aussi petit corps? Redevenez conscient de ce petit corps. Vous avez trois ans. »

Beaucoup de mes sujets m'ont dit revivre là la partie la plus plaisante de l'expérience, car ils se retrouvaient en train de batifoler dans l'eau. Quant à moi, j'avais à ce moment-là une formidable sensation de légèreté et d'agilité. C'était comme si je retrouvais un métabolisme plus vivace que celui de mon âge mûr.

« Maintenant, vous voyez trois photos en même temps. Vous, jeune enfant, enfant, adolescent. Qu'est-ce qui n'a pas changé dans tout cela? Votre corps a changé, vos vêtements ont changé, le paysage où fut prise la photo a changé. Qu'est-ce qui, dans tout cela, est resté vous? Tous ces stades de votre enfance ne sont-ils pas quelque part dans votre mémoire? » En même temps, je pensais avec étonnement combien l'enfant que nous avions été est toujours là, quelque part. Mais où? Quel est le siège de la perception d'être soi qui demeure, malgré tous les changements physiques? Ma voix poursuivit :

« Je veux que vous réalisiez que chacune de ces trois photos ne représente qu'environ un vingtième de seconde de votre vie. Au delà de cette photo de vous enfant, je veux que vous imaginiez toute une série de photos prises de tous les autres vingtièmes de seconde de votre vie de la naissance à l'âge de cinq ans. Essayez d'étendre maintenant cette série de photos à l'infini. Et derrière ce cliché de vous, enfant, mettez encore une série de photos avec tous les vingtièmes de seconde que vous avez connus en grandissant. Derrière la photo de vous, adolescent, existe toute la série des vingtièmes de seconde que vous avez vécue à cette époque. Si toutes les trans-formations que votre corps a connues au cours de votre maturation sexuelle étaient filmées, si toutes les modifications de vos sentiments à l'égard de vous-même, vos ambitions, vos rêves avaient été enregistrés par une caméra, ils s'étendraient aussi à l'infini. Regardez encore toutes ces photos de vous qui représentent votre passé jusqu'à l'âge de dix-huit ans. De quels moments vous souvenez-vous? Presque tout est enfoui dans votre mémoire cons-ciente. Le passé que vous croyez vous rappeler est une histoire que vous a racontée votre moi cons-cient; il s'en souvient par bribes et les a assemblées en un récit qu'il appelle « mon passé ». Reconnais-sez maintenant que le passé que vous croyez vous rappeler est fragmentaire et limité. Pour chaque moment dans le passé où vous pensez avoir haï quelqu'un, vous en trouvez aussitôt un autre où vous avez aimé cette personne. Pour chaque moment de votre passé où vous avez éprouvé de la culpabilité et de la honte, vous pouvez penser à un moment de triomphe et d'autosatisfaction. Perdus quelque part dans ces photos des années passées, se trouvent des potentiels que vous n'avez jamais développés, des sentiments que vous avez depuis longtemps oubliés, des choix que vous n'avez jamais concrétisés. Reconnaissez qu'en ce moment, votre passé semble aussi mouvant que votre avenir. Vous avez le choix de vous souvenir d'instants de votre vie passée depuis longtemps oubliés, et vous avez le choix de réaliser ce potentiel dans l'avenir que vous vous choisirez. C'est ce qu'on appelle : " le libre choix ". »

Tout en prononçant ces mots, j'essayais de me

souvenir à quel moment, dans les instructions hyp-notiques, j'avais décidé d'inclure ce travail. Cela m'était venu à l'esprit peu de temps après avoir fait revenir des personnes jusqu'à l'expérience de leur naissance. Apparemment, l'idée de faire revoir aux gens des photos de leur passé venait de la partie droite de mon cerveau, alors que j'étais moi-même en relaxation profonde, en les aidant à comprendre l'étendue de leurs choix et de leurs possibilités. J'avais appris à ne plus me poser de questions concernant cette sorte de spontanéité créatrice qui était la mienne. Comme mes sujets, j'avais appris à entrer en contact avec cette partie de mon cerveau, lui laissant parfois la liberté de développer de nouvelles idées et de nouvelles approches. Cepen-dant, je m'étais rendu compte que je connaissais peu de choses de mon passé, et même des poten-tiels qui existaient dans mon enfance et dans mon adolescence; je les avais oubliés et laissés de côté en choisissant une carrière. Et si c'était vrai pour moi, ce devait l'être aussi pour ceux qui venaient à cette séance d'hypnose.

« Maintenant, votre corps est très lourd sur le plancher, profondément détendu. Votre corps est si lourd que vous avez l'impression qu'il s'enfonce lentement dans le sol. Votre esprit est libre et léger, il flotte, alerte, il est très détendu. Imaginez main-tenant que vous êtes un minuscule point conscient qui s'échappe de votre corps et qui erre près du plafond de cette pièce. Vous voyez une lueur diffuse et vous regardez en bas depuis un coin du plafond. Vous me voyez assise sur ce siège. Mes jambes sont croisées et mes bras sont posés sur les bras du fauteuil. Maintenant, regardez si vous pouvez voir vos corps sur le sol. Voyez-vous les autres autour de vous? »

Ces instructions m'avaient été inspirées par certains de mes rêves mais surtout par des expériences de dématérialisation relatées par beaucoup de sujets. Ils en parlaient comme d'un moment agréable, aussi considérai-je que c'était une bonne introduction avant de s'aventurer vers des stades plus profonds. Je continuai donc cette partie du voyage :

« Maintenant vous flottez, aussi immatériels que la fumée, à travers le toit de cet immeuble jusqu'au ciel. Les étoiles brillent, vous voyez la lune et, en dessous de vous, la ville est couverte de neige. Vous flottez de plus en plus haut, jusqu'aux ténèbres de l'espace. Vous vous sentez merveilleusement libres et légers tandis que vous prenez votre essor. »

L'expérience m'avait appris qu'à ce stade, certains de mes sujets allaient sombrer dans ce que nous appelons le sommeil; je pensais néanmoins qu'il était très important de les amener au plus profond possible de l'hypnose avant de leur poser des questions sur leur naissance. Certains sujets ne pouvaient me donner des réponses qu'à ce stade avancé d'hypnose, aussi entamai-je une autre phase du programme d'induction :

« Votre esprit conscient ne va pas comprendre ce que je vais dire. Je m'adresse à votre subconscient. Je vous demande de réduire les potentiels électriques des ondes de votre cerveau à cinq cycles par seconde. L'amplitude de vos ondes cérébrales va être de cinq cycles par seconde. A ce rythme d'ondes lentes, vous allez pouvoir atteindre les parties les plus enfouies de vous-même, d'où viendront les réponses à mes questions. Je vais compter jusqu'à cinq, votre rythme d'activité cérébrale va se ralentir à cinq cycles par seconde. Un, de plus en plus profond. Deux, de plus en plus détendu. Trois. Quatre. Cinq... » C'est à la suite de certaines données recueillies par des amis que j'ai choisi de faire réduire l'amplitude cérébrale à cinq cycles par seconde. Lorsque leurs sujets étaient branchés sur des machines qui enregistraient de zéro à quatre cycles par seconde, ceux-ci ne se souvenaient pas, à leur réveil, de ce qu'ils avaient dit. Ils étaient « endormis ». Mais quand on les interrogeait sur cet état profond, ils donnaient le plus souvent des comptes rendus à tendance mystique. Il semblait qu'on pouvait, dans cet état, avoir accès à des choses normalement fermées au monde conscient. Qui d'entre nous ne s'est pas réveillé la nuit avec la conscience précise de quelque chose, pour se rendormir aussitôt et oublier? Je voulais que mes sujets soient suffisamment éveillés pour se souvenir de leurs réponses; j'ai donc choisi cinq cycles par seconde comme stade idéal pour recueillir des informations sur ce qui précède la naissance. J'espère pouvoir, un jour, enregistrer à l'électro-encéphalogramme, un sujet dans cet état particulier. Ces instructions ont pour résultat apparent de provoquer une transe hypnotique plus profonde et de faciliter ainsi les réponses de mes sujets sur leur naissance :

« Je vous demande maintenant de remonter jusqu'au moment qui précède votre naissance dans cette vie. Choisissez-vous de naître? » Je donnais cinq secondes à mes sujets pour répondre à cette question. L'expérience m'a montré que plus je leur

22

laissais de temps pour répondre, plus le moi conscient revenait au premier plan. Lorsque les réponses sont spontanées, elles semblent venir de la partie droite du cerveau, c'est-à-dire du subconscient. Lorsqu'elles tardent à venir, le moi conscient a tendance à spéculer sur la bonne réponse et à essayer de rationaliser. Comme j'étais à la recherche de matériel inconscient, je ne leur laissais que peu de temps.

« Quelqu'un vous aide-t-il à choisir de naître? Si oui, quelle relation avez-vous avec lui? » J'ai posé cette question parce que, lors d'une première expérience de ce type, j'avais été surprise de constater que chacun des sujets ne prenait pas seul la décision de naître, et j'étais curieuse de savoir comment ils identifieraient ces « témoins ».

« Que ressentez-vous à l'idée de vivre cette vie qui vous attend? » J'avais soigneusement choisi cette question. Si je leur demandais ce qu'ils ressentaient à l'idée de naître, j'allais avoir des réponses relatives à la peur physique de l'expérience de la naissance. J'ai donc précisé la question d'une manière telle que la réponse soit plus en rapport avec la vie à venir qu'avec la naissance elle-même :

« Pour quelle raison choisissez-vous la seconde moitié du XXe siècle pour une nouvelle vie physique? Avez-vous choisi de vivre cette vie comme homme ou comme femme? Quel est votre but en voulant revivre? » Je savais, par expérience, que c'était là la question à laquelle tous souhaitaient répondre sous hypnose. Ils voulaient connaître la raison de leur existence; cette quête était à l'origine d'un si grand nombre de leurs lectures, de leurs études et de leurs expériences que la réponse n'était plus que dans l'inconscient. Allaient-ils la trouver ce soir? Je savais, à travers ma propre expérience de l'hypnose, que c'est la question la plus difficile de toutes.

« Maintenant, vous allez vous concentrer sur votre future mère. L'avez-vous connue dans une vie antérieure? Si oui, quelles étaient vos relations?

« Concentrez-vous maintenant sur votre futur père. L'avez-vous connu dans une vie antérieure? Si oui, quelles étaient vos relations?

« Savez-vous quelque chose maintenant, avant votre naissance, des gens que vous allez connaître dans la vie qui vous attend? Les avez-vous connus dans des vies antérieures? Savez-vous quels rôles ils vont jouer? Allez-vous les connaître comme amants ou époux? Allez-vous les connaître comme enfants ou comme parents? Allez-vous les connaître comme amis? »

A ce stade de l'hypnose, je laissais plus de temps entre les questions qu'auparavant. Beaucoup répondaient très rapidement, mais d'une façon un peu superficielle. Aussi, accordais-je environ une minute entre chaque question concernant les gens qu'ils avaient pu connaître dans leurs vies passées.

« Concentrez-vous maintenant sur le fœtus que vous allez être. Vous sentez-vous *dans* le fœtus? Vous sentez-vous au contraire *hors* du fœtus? Dedans *et* dehors? » Cette question, l'une des plus intéressantes de ces séances, devait être clairement posée. Je savais, d'après mes premiers travaux sur l'expérience de la naissance sous hypnose, que beaucoup de sujets se sentaient à la fois à l'intérieur et à l'extérieur du fœtus. Mais je ne voulais pas qu'on m'accuse de prendre le contre-pied de l'idée communément acquise selon laquelle la vie commence à la conception.

« Ressentez-vous les émotions de votre mère avant votre naissance? » J'avais ajouté cette question car j'étais curieuse d'en apprendre davantage sur la relation entre la personnalité du fœtus et celle de la mère.

« Vous descendez maintenant dans les voies génitales. Que ressentez-vous? » Je trouvais qu'il était important de ne pas suggérer l'idée de douleur, car je savais qu'à ce stade de l'expérience, les sujets peuvent facilement ressentir la douleur de la naissance. Il était donc essentiel de l'effacer de leur mémoire en les assurant qu'ils ne sentiraient rien. Certains de mes sujets s'étaient réveillés avec de sérieuses douleurs musculaires, des migraines et autres sortes de traumatismes.

« Maintenant, vous êtes sorti des voies génitales. Vous êtes né. Que ressentez-vous? » J'utilisais à dessein le mot « ressentir » car je ne souhaitais pas qu'ils me parlent de lumière ou de froid.

« Etes-vous conscient des attitudes et des sentiments des personnes présentes? » Je voulais savoir si mes sujets avaient déjà une conscience de nouveau-né ou encore celle du fœtus percevant ce qui se passait dans la salle de travail sans pouvoir y participer. Au cours de certaines expériences, les sujets qui ont subi une opération se souviennent, sous hypnose, de la salle d'opération et de tout ce qui s'y passait lorsqu'ils étaient sous anesthésie; je me demandais si cela ne pouvait pas s'appliquer aussi au nouveau-né.

« Maintenant, vous quittez cet endroit. Vous flottez hors de la salle de travail. Vous flottez à nouveau dans l'espace et vous retrouvez votre nuage. Vous vous y étendez, vous vous étirez, et toute sensation de malaise vous quitte. Vous flottez sur votre nuage et tandis que je compte, votre système revient à la normale. Vous n'aurez aucun malaise physique ou émotionnel à la suite de ce voyage dans le passé. Vous flottez hors de cet endroit où vous êtes né. Votre corps se détend et tous vos organes reprennent leur fonction normale. » Pour moi, il était très important de prononcer ces paroles. Malgré cela, beaucoup de mes sujets se réveillaient avec un profond sentiment de tristesse et parfois des douleurs à la tête. Pour une raison qui m'échappe, il est beaucoup plus pénible et douloureux à certains de revivre la naissance que de revivre une vie passée.

« Vous flottez maintenant sur votre nuage, et je vais vous entraîner plus loin encore. Je vais compter et vous allez être de plus en plus serein et calme. Votre esprit vagabonde en toute liberté, vous êtes entouré d'harmonie et de paix. Un, de plus en plus profondément... Deux, de plus en plus détendu... Trois... Quatre... Cinq... Vous flottez sur votre nuage et vous êtes dans une belle lumière blanche, très pure et très intense. Elle est de plus en plus brillante. Il y a un bouton de rose sur votre plexus solaire. Les rayons d'énergie qu'envoie cette lumière blanche font s'épanouir doucement les pétales de la rose jusqu'à ce qu'on en voie le cœur. Les rayons d'énergie de la lumière pénètrent le cœur de la rose, et, à travers elle, pénètrent votre plexus. Ces rayons vont effacer tous les effets négatifs qui peuvent subsister des suites de ce voyage.

Ils apportent lumière, paix et sérénité à votre corps et à votre esprit. » Cette image m'était venue quelques années auparavant, au cours d'une séance où je mettais des sujets sous hypnose. Je ne me suis rendu compte que plus tard que j'avais repris une version d'un *mantra* (1) tibétain « Om mani padmi hum » qui signifiait : « Que s'ouvrent les pétales du lotus. » D'après le yoga Kundalini, le plexus solaire, ou centre d'énergie, contrôle les émotions. Donc, en faisant " passer " la lumière à travers la rose puis dans le plexus solaire, l'énergie de l'univers devait effacer toute discordance dans leurs émotions. Je ne suis pas particulièrement adepte du yoga Kundalini ou de tout autre système indien, mais cette image semblait apaiser mes sujets.

« Vous allez maintenant revenir aux temps et lieu présents. En vous réveillant, les réponses à mes questions vous resteront en mémoire. Elles y resteront pendant des mois, et vous pourrez vous en souvenir à votre gré. Quand je vous donnerai la feuille de compte rendu, elles vous viendront à l'esprit et vous pourrez les rédiger sans difficulté.

« Maintenant, imaginez-vous sous la forme d'une boule d'énergie dorée qui brille loin dans l'espace. Voyez cette énergie rouler et s'étendre sur les ténèbres de l'espace, pénétrer l'enveloppe de l'atmosphère, descendre sur l'hémisphère occidental, descendre dans cette pièce, entrer dans votre boîte crânienne. L'énergie pénètre dans votre tête et vous êtes envahi de bien-être, toute votre énergie physique vous revient. Vous vous réveillez de très bonne humeur et vous vous sentez bien. Un, la boule

(1) *Mantra* : vers tibétain qui sert de leitmotiv dans les incantations.

d'énergie pénètre maintenant dans votre tête et dans votre visage. Deux, elle descend dans les muscles de vos mâchoires et votre cou. Trois, elle descend dans vos épaules. Quatre, elle descend dans vos coudes, vos poignets, vos mains et vos doigts. Cinq, de vos épaules l'énergie descend à votre torse et à votre taille. Six, elle descend dans vos hanches. Sept, elle descend dans vos cuisses et vos genoux. Huit, elle descend dans vos jambes, vos chevilles, vos pieds et vos orteils. Neuf, votre corps vibre d'énergie et vous êtes prêt à vous réveiller, vous vous sentez dispos. Dix, vous ouvrez les yeux... vous êtes réveillé. »

Je savais qu'il fallait du temps avant que mes sujets ne commencent à bouger après leur troisième séance d'hypnose. Ils étaient tellement détendus qu'ils ne remuaient pas et me souriaient. Quelles allaient être leurs réactions? Parmi tous les moments de ces séances, je préférais celui de leurs récits, lorsqu'ils se réveillent. C'était ma dernière séance avant la rédaction du compte rendu. J'étais venue dans le Midwest pour savoir si les gens d'ici allaient me donner des réponses différentes de celles des gens de Californie. Je n'avais aucun moyen de vérifier ou de prouver l'exactitude de leurs réponses. Je faisais une sorte de sondage sous hypnose. Mais je me disais que si celles-ci variaient selon les croyances culturelles, je devais prendre des sujets de différentes contrées. Et si ces réponses n'étaient pas semblables, cela prouverait qu'elles avaient une base culturelle plutôt qu'inconsciente.

2

MON GROUPE DE CHICAGO RELATE SES EXPÉRIENCES

Je rallumai et regardai la salle. Mes sujets s'étiraient et s'asseyaient lentement. Ils avaient ce regard un peu perdu et lointain que je connaissais bien, dû au fait d'avoir passé quatre heures étendus sur le sol à explorer le lobe droit de leur cerveau. Je leur distribuai les feuilles de compte rendu, beaucoup me souriaient. Ils semblaient de très bonne humeur mais songeurs et calmes. Plusieurs me dirent avoir les larmes aux yeux, mais ne pas se sentir tristes. Une femme me déclara en prenant la feuille :

« J'ai ressenti une grande compassion pour ce bébé qui était moi! Et quelle tristesse j'ai éprouvée en quittant l'endroit où j'étais pour revenir à la vie physique! J'ai eu beaucoup de mal à me contenter des limites de ce corps minuscule, ne voulant pas perdre la légèreté et l'amour que j'avais connus entre mes deux vies. » Elle rit en me montrant les larmes qui coulaient le long de ses joues. Je la rassurai en lui disant que c'était une réaction normale et qu'elle se sentirait de nouveau joyeuse : « Je me sens joyeuse, dit-elle, mais je viens de me rendre compte que la naissance n'est pas une chose heureuse. Les deux morts qui ont mis fin à mes vies passées étaient des expériences très agréables. La tragédie, c'est de naître. »

M'apercevant qu'environ la moitié du groupe n'écrivait pas, je demandai combien d'entre eux ne se souvenaient de rien : 40 % du groupe affirma ne pas se souvenir que j'avais compté jusqu'à cinq après leur avoir parlé de leurs photos d'enfance. Dix d'entre eux n'en avaient même pas entendu parler. Quatorze né se souvenaient d'aucune réponse; enfin deux racontèrent avoir été parfaitement réveillés tout au long de l'expérience. Mais au cours de séances précédentes, ces deux sujets s'étaient montrés résistants à l'hypnose. Ces résultats étaient semblables à ceux que j'avais connus précédemment. Environ la moitié du groupe répondit à mon questionnaire sur l'expérience de la naissance. En relisant les cas afin d'établir mes statistiques, je fus très surprise de constater que, par contre, 90 % d'entre eux avaient répondu aux questions sur les vies antérieures. Qu'y avait-il donc de si difficile dans la naissance? C'était peut-être la peur du passage à la vie qui les inhibait. Mon raisonnement était le suivant : s'ils pouvaient revoir en fantasme leurs vies passées, ils pouvaient revoir leur naissance. Ils étaient au moins certains d'une chose, c'est qu'ils étaient bien nés. Peut-être seuls certains d'entre nous sont-ils capables d'atteindre ce stade de la super-conscience. Peut-être aussi étaient-ce mes instructions concernant le rythme de cinq amplitudes par seconde qui les mettaient dans un état si profond qu'ils ne pouvaient se souvenir de rien.

J'avais maintenant fait suffisamment d'expériences pour savoir que je ne pouvais utiliser que 40 % des feuilles rédigées qui m'étaient remises. Comme je souhaitais des réponses dictées vraiment par l'inconscient, je devais éliminer celles qui commençaient par : « Je crois bien être resté éveillé tout le temps et avoir pensé ces réponses. » J'éliminais aussi tous les sujets qui avaient lu mon article paru dans « *Nouvelles Réalités* » sur l'expérience de la naissance, car leur esprit conscient aurait pu sélectionner les réponses dans le résultat de mes travaux. Ayant cherché, dans la littérature de la tradition occulte, des références sur l'expérience de la naissance, je trouvai fort peu de choses qui auraient pu influencer les réponses de mes sujets. L'expérience après la mort avait été décrite par Raymond Moody dans *La vie après la vie* (1) et certains sujets avaient relaté des expériences semblables à celles qu'ils avaient lues dans cet ouvrage. Mais en dehors de l'idée que nous naissons en même temps que d'autres personnes pour parvenir au *karma* (2) – idée que l'on trouve dans la tradition occulte orientale mais aussi dans les ouvrages de Edgar Cayce – je ne trouvai aucune allusion au choix de notre vie ou à la conscience d'un but avant notre naissance.

Mes sujets ramassèrent leur couverture et leur

(1) Editions J'ai Lu, A 380**.
(2) *Karma* : sorte de « béatitude » que l'on atteint grâce à la connaissance. L'âme doit se réincarner jusqu'à parvenir à cet état.

oreiller et se dispersèrent hors de la pièce. Certains souriaient, d'autres étaient sérieux. Presque tous me remercièrent de cette expérience : c'est une chose qui m'a toujours surprise car il me semble que c'est à moi de les remercier d'avoir bien voulu servir de sujet à mes études. Ils me remirent tous leur compte rendu.

La première chose que je remarquai en les parcourant, c'est que leur contenu était typique de mes expériences en général et non pas du Midwest. Le premier que je lus était celui d'un jeune homme qui s'exprimait ainsi :

« Oui, j'ai choisi de naître. Quelqu'un m'a aidé à faire ce choix; et c'était une voix en qui j'avais toute confiance. Elle était douce, très avisée et elle m'aidait. J'étais très content à l'idée de renaître. Quand vous avez demandé pourquoi je vivais, j'ai immédiatement pensé : pour accroître la conscience de mes semblables. J'ai choisi ce siècle parce que c'est une époque de changements où les gens ont besoin de beaucoup de stabilité intérieure. Je suis censé les aider d'une manière ou d'une autre. J'ai choisi d'être un homme, parce que c'est plus facile dans mon travail et c'est un rôle que j'aime bien. Ma mère était ma femme dans une vie passée, et mon père était mon fils. J'ai quelques images d'autres époux ou amants, mais rien de précis; quant à mes enfants et aux parents plus éloignés, je n'ai vu qu'un oncle que je connaissais auparavant. J'ai gardé beaucoup d'amis de mes vies antérieures. Je me suis rattaché au fœtus quand je l'ai décidé, c'est-à-dire peu de temps avant la naissance. Les sentiments de ma mère étaient affectueux. Quand vous avez posé cette question sur la naissance, je me suis senti bizarre, avec des sensations de chatouillis sur la peau. Après la naissance, j'étais heureux; le docteur et ma mère semblaient très contents. Cette vie est une chose très positive pour moi et cette séance m'a apporté une énergie nouvelle. »

Sur la feuille suivante, on lisait :

« Oui, j'ai choisi de naître, et j'y ai réfléchi avec l'aide d'une sorte de professeur. Je voulais vivre. Mais quand on m'a demandé dans quel but, j'ai alors eu la sensation d'attendre quelque chose, je ne sais pas quoi. J'ignore pourquoi j'ai choisi cette époque, par contre je sais que j'ai voulu être une femme parce que j'avais été un homme dans plusieurs vies antérieures. Je ne connaissais ni mon père ni ma mère dans des vies passées. Mais je connaissais mon mari et certains de mes amis. Je me suis rattachée au fœtus uniquement lorsque j'étais prête à naître. Je sentais que ma mère avait très peur lors de la naissance. Tout ce que moi j'ai ressenti, c'est une sensation de tourbillon et de chute. Après, j'ai vu une pièce blanche avec des meubles de bois foncé. Ce voyage hypnotique a été une expérience bizarre. J'ai choisi cette vie à travers différentes possibilités, bien que limitées. »

Un jeune homme laissa tomber sa feuille sur la table en souriant tristement :

« Ce fut un voyage étrange. Je me suis senti poussé à répondre quand vous avez demandé si j'avais choisi de naître. Mais je n'ai pas pu trouver de réponse aux autres questions jusqu'à celle de la naissance. C'était vraiment étrange! » Je lus :

« Je ne pense pas avoir choisi de naître, j'ai plutôt le sentiment qu'on m'a demandé de le faire. A l'évocation du choix de cette époque, j'ai éprouvé une sensation d'écrasement. Quand vous avez demandé dans quel but, je n'ai pensé qu'à une chose : il fallait que je naisse, je n'avais pas le choix. A la question concernant l'expérience de la naissance, j'ai eu encore la sensation d'être écrasé, avec une impression de poids dans la poitrine. Tout de suite après la naissance, j'ai cherché de l'air et je me suis senti mieux. Cette sensation d'écrasement avait disparu. »

La feuille que je pris ensuite venait de quelqu'un qui avait choisi de naître et qui, à la question : « Quelqu'un vous a-t-il aidé dans votre décision? » répondait :

« Oui, l'un d'entre nous. J'aurais préféré prendre davantage mon temps et mieux me préparer, mais il était temps de naître. Quant au but, il s'agissait pour moi de servir l'évolution de l'humanité. J'ai choisi mon sexe pour vivre différemment mes relations avec les autres. Je connaissais mon père et ma mère, ainsi que mon mari et mes amis, mais pas mes enfants. Je ne crois pas m'être rattachée à ma mère avant le moment des douleurs. L'expérience de la naissance est bizarre. J'ai senti une fusion d'énergie, et une absence de contrôle sur moi-même dès la naissance. Je n'ai rien su des émotions des autres. »

La feuille suivante exprimait encore davantage de rancœur d'avoir à commencer une vie nouvelle :

« Non, je n'ai pas choisi de naître, mais il me semble que c'est une de mes sœurs de ma vie présente qui m'y a poussée. Je ne le voulais pas car je ne me sentais pas prête. Je savais que dans cette vie je devais chercher à accepter mon père tel qu'il est, et à mieux connaître ma mère, ma meilleure amie dans une vie passée. Les deux vivaient à cette époque, et c'est pourquoi je l'ai choisie. J'ai aussi choisi mon sexe parce que j'étais un homme dans la vie antérieure où j'ai connu mon père; celui-ci était mon geôlier et il me fouettait. Je ne me souviens pas d'amants ou d'époux dans des vies antérieures; par contre mon petit frère était déjà mon petit frère dans une autre vie. Je ne sais pas à quel moment je me suis rattachée au fœtus, mais je sais que ma mère se sentait seule et qu'elle était heureuse de me porter en elle.

« L'expérience de la naissance fut très difficile et dura longtemps, bien qu'il ne m'ait fallu que quelques secondes pour la revivre sous hypnose. Après, j'avais l'impression que la femme qui avait aidé ma mère était très fatiguée; celle-ci par contre était heureuse d'avoir une fille. Quant à moi, je n'avais pas voulu naître à ce moment-là, choisi par mon père et personne d'autre. Grâce à cette expérience, je connais mieux mes vrais sentiments. Merci. »

La feuille suivante était griffonnée et difficile à déchiffrer. Je notai que le sujet avait fait là une expérience d'écriture automatique. J'avais prévenu mes sujets que leur subconscient allait relater leurs pensées sans même qu'ils en aient conscience, et cette feuille était un exemple de résurgence de l'inconscient malgré les freins de l'esprit conscient.

« Oui, j'ai choisi de naître et il y avait des visages autour de moi. Beaucoup de visages. Le premier était celui d'un homme. J'ai cherché, en renaissant, à m'accomplir davantage. C'est ce que chacun doit faire. Je voulais aussi voir, contempler. J'ai choisi cette période pour participer à tout ce qui se passe en ce moment. J'ai voulu être une femme parce que j'allais avoir des enfants qui seraient des êtres que j'ai connus dans une vie passée. Je connaissais ma mère mais pas mon père; je connaissais mon mari, mes enfants et mes amis. Je ne me suis rattachée au fœtus qu'à la première respiration après l'expulsion. Ma mère n'était pas heureuse. Sa vie ne correspondait pas à ce qu'elle en attendait. Je sentais qu'elle n'était pas heureuse. Pendant l'expulsion j'ai eu mal au dos, alors je me suis pliée en deux et me suis sentie mieux. Je me souviens qu'après ma naissance, c'était très drôle, parce que les gens pensent que vous ne savez rien alors que rien ne vous échappe. »

Le compte rendu suivant relatait une certaine réticence à naître, puis une acceptation :

« Je ne voulais pas vraiment naître et je me suis fait réprimander peu de temps avant la naissance. Jusque-là, je participais à de grandes discussions pour savoir si je devais naître ou pas. Je ne savais pas non plus très bien si je devais choisir cette époque, mais je me sentais responsable. Quant au but de cette vie, ce qui m'est venu à l'esprit, c'était de devoir être comme une flèche au centre de la cible. Pour être belle.

« J'ai choisi le XXe siècle car les conditions électromagnétiques m'étaient favorables. Je crois avoir connu presque tous les gens de ma vie présente dans une autre vie. Ayant été retardée pour me rattacher au fœtus, je n'ai pu le faire qu'au début des contractions. Je savais ce que ressentait ma mère au cours de l'accouchement. Après la naissance, mon esprit était tout embrouillé. Je crois avoir perdu à la fois toute perception des sentiments des gens qui m'entouraient et aussi le savoir que j'avais déjà. »

Dans le rapport suivant s'exprimait le désir de vivre à cette époque :

« Je n'ai pas choisi de naître, en fait, je pensais oh! non, pas encore! Je suis si bien ici! On m'a aidée à choisir. J'avais deux conseillers qui m'ont montré combien ma future mère m'attendait; j'ai pu voir qu'elle me désirait vraiment. Je savais qu'elle s'occuperait bien de moi et qu'elle m'aimerait. Cela me rassurait. En effet, ayant le sentiment d'avoir suffisamment vécu dans une vie précédente, je voulais me reposer un peu. Je n'ignorais pas que le retour à la vie était traumatisant. N'était-ce pas trop tôt? Mon but est de rendre heureux les gens autour de moi. Il ne s'agit pas là de quelque chose de religieux, mais je veux contribuer au bonheur des êtres qui m'entourent. Je savais que cette époque allait être troublée et c'est pour cela que j'hésitais à naître. J'ai choisi mon sexe parce qu'on sert mieux les autres quand on est une femme. Je connaissais ma mère dans une vie antérieure, mais je ne suis pas certaine d'avoir connu mon père. Je connaissais mon mari mais pas mes enfants. J'ai bien connu un de mes amis. Je sentais avant ma naissance que ma mère était très heureuse et qu'elle me désirait vraiment. Cela m'a donné le courage de naître. Je ne me souviens pas à quel moment je me suis rattachée au fœtus. A la naissance j'ai éprouvé une grande sensation de froid et je me suis dit : " et maintenant? "

« Je reste perplexe devant le but vague de ma vie. Alors que sous hypnose, il m'est apparu clairement que je devais me consacrer aux autres et non à moi-même. »

Le rapport suivant était intéressant parce qu'il présentait le cas d'un homme qui aurait préféré être une femme :

« Oui, j'ai choisi de vivre, et j'ai été conseillé par un guide. La décision était importante, et nous en avons discuté et argumenté longtemps. Je voulais renaître pour me débarrasser du matérialisme et combattre le négativisme, et aussi pour mélanger les émotions masculines et féminines, l'amour et la force. J'ai choisi cette période, bien que mon guide et moi l'ayons considérée comme difficile, mais néanmoins bénéfique pour moi. Je voulais être une femme pour le plaisir, mais j'ai choisi d'être un homme parce que, encore une fois, le test n'en serait que plus ardu. J'ai connu mon père et ma mère dans une vie antérieure ainsi que ma femme. En ce qui concerne mes amis, je ne sais pas. Je crois m'être attaché au fœtus, ou tout au moins en avoir pris conscience, tout de suite après la conception. Je percevais les sentiments de ma mère. Je me sentais lié à elle de façon étrange : elle pouvait devenir une ennemie car nous n'avions pas eu de bonnes relations dans le passé. Elle semblait s'en rendre compte. Mes impressions après la naissance étaient très agréables. »

Le sujet suivant, un homme lui aussi, avait choisi son sexe pour des raisons différentes :

« Oui, j'ai choisi de naître mais il me semble avoir été aidé par des conseillers. J'étais très heureux à l'idée de vivre à cette époque-ci, et mon but était de venir en aide aux autres. Le XXe siècle est l'ère de l'espace, et c'est cela qui m'importait, tout en ne sachant pas pourquoi. J'ai choisi mon sexe parce que c'est l'homme qui domine, et, apparemment, j'avais besoin de dominer dans cette vie. Je ne connaissais pas ma mère auparavant mais j'ai partagé une vie en Egypte avec mon père. Je me souviens aussi d'avoir connu certains de mes amis, que, par le passé, je commandais. Je ne me suis rattaché au fœtus que lorsqu'il a été tout à fait développé, peu avant la naissance. Je sentais la chaleur qui se dégageait à l'intérieur du corps de ma mère, et sa peur de l'accouchement. Je n'ai pas eu mal quand je suis né, mais j'ai eu l'impression de glisser et d'apercevoir une lumière au bout du tunnel. Après la naissance, il me semblait que j'avais la peau bleue et j'avais très froid. Le médecin riait. »

Le sujet suivant avait décidé de vivre par obligation, non par plaisir :

« J'étais aidée par mon frère et par une sorte de gardien. Je pensais que c'était trop tôt et que j'avais encore tant à apprendre. Mon but dans cette vie était de développer mes facultés psychiques et de corriger mes attitudes mentales et émotionnelles. J'ai choisi cette période pour la passer avec ma famille et mes amis, que j'avais tous connus auparavant et qui devaient revivre en même temps que moi. J'ai choisi d'être une femme pour faire l'expérience de la maternité. Ma mère avait été une sœur dans une vie passée, et mon père avait déjà été mon père. Je connaissais mon mari, mes enfants, mes amis. Je ne sais pas exactement quand je me suis rattachée au fœtus; il me semble que c'était par intermittence. J'avais conscience que ma mère souhaitait un garçon pour remplacer un fils qu'elle avait perdu. Lors de l'accouchement, je me suis sentie serrée mais au chaud; après, j'ai entendu des bruits et vu des lumières et j'ai compris que l'autre monde ne m'aiderait plus. Il me semblait que seule mon âme retenait le savoir que j'avais acquis dans mes vies antérieures. »

La feuille suivante me fut tendue par un jeune homme tranquille qui avait peu parlé de ses voyages dans une vie passée. J'étais curieuse de connaître son expérience sous hypnose et la lus avec curiosité. J'avais remarqué que c'était un de ces sujets qui allaient le plus loin dans l'expérience, et espérais qu'il pourrait néanmoins se souvenir de sa naissance :

« Je crois que c'est non sans mal que j'ai été convaincu de naître. J'y fus aidé par un homme sage à qui je devais respect et obéissance. Il était doux et gentil mais décidé. J'avais peur d'avoir à renaître mais je savais que ma mission était d'aider. J'ai choisi le XXe siècle pour être entouré de ceux avec qui je voulais être, mais non mon sexe. Si je peux avoir connu précédemment ma mère, je n'en ai pas un souvenir très vivace. J'ai par contre connu mon père, et nous étions très proches, ainsi qu'un de mes enfants. Il me semble avoir intégré le fœtus quand ma mère était enceinte de cinq ou six mois. Je savais qu'elle était très nerveuse à l'idée de ce qui allait se passer et j'en étais désolé pour elle. Au cours de l'accouchement, j'ai senti qu'on m'écrasait le visage et les bras. Tout de suite après, j'ai eu froid. J'étais furieux d'être éloigné de ma mère et d'avoir à affronter le froid et la lumière. Je voyais tout ce qui se passait dans la pièce, et je sentais mon père soucieux. Ma mère était toujours nerveuse et parlait beaucoup, puis elle s'est endormie. »

Sur une autre feuille, un sujet avait noté des commentaires personnels :

40

« J'ai observé la formation du fœtus et j'avais le sentiment d'expérimenter le même voyage que lui, un voyage vers l'avenir, jamais vers le passé. J'ai choisi de naître; je crois avoir été aidé et entouré par des gens que j'aimais. Je voulais rester avec eux et ne pas revivre. Je savais que je devais renaître pour aimer davantage, mais je ne sais par pourquoi j'ai choisi ce moment. Je crois avoir toujours été une femme et n'avoir jamais choisi; c'est une chose naturelle pour moi. Je connaissais ma mère dans une vie passée, mais pas mon père ni mon mari et mes enfants. Je ne savais rien des sentiments de ma mère et la seule sensation que j'ai eue de la naissance était qu'il faisait froid et humide. Tout de suite après, j'ai senti les mains des gens qui me touchaient. Ils étaient tellement occupés... tant d'activité après le calme que j'avais connu! »

Puis venait le témoignage de quelqu'un qui ne semblait pas avoir voulu renaître :

« Non, je n'ai pas choisi de naître, on me l'a ordonné. Je suivais des instructions sans savoir de qui elles émanaient. Je n'étais pas vraiment en rébellion, mais ce n'était pas moi qui avais choisi. J'avais peur de vivre cette vie-là. Un des buts était de mieux préparer l'enseignement futur du développement de l'esprit de l'homme. J'ai choisi ce siècle parce que la psychologie ne se développait pas assez rapidement et qu'elle entravait l'évolution spirituelle de l'homme. Je ne pense pas avoir choisi mon sexe. Ma mère avait été une de mes sœurs dans une vie précédente, nous nous querellions tout le temps. Mon père était mon grand-père, mon mari un Indien sioux alors que j'étais un moine français, et je ne l'aimais pas plus en ce temps-là! Il me semble avoir été rattachée au fœtus dès la conception, mais c'est très vague. Ma mère était très heureuse. A la naissance, j'ai retenu mon souffle puis j'ai respiré très profondément. Après, je me suis sentie heureuse d'avoir été désirée par mes parents. Cette expérience hypnotique a été très enrichissante, car j'avais souvent eu le sentiment que j'étais là pour une raison précise et que j'avais des facultés spirituelles à développer. »

Sur une autre feuille :

« Si je fus guidée dans ma décision par un conseil d'une douzaine de personnes, la décision finale m'appartient en propre. Le but de cette vie était d'en apprendre davantage de façon à pouvoir réunir le même conseil à l'échelle planétaire. J'ai choisi mon sexe en fonction d'expériences spécifiques que je devais tenter. Je connaissais mon père mais pas ma mère et aussi mes maris. Je me suis rattachée au fœtus la veille de ma naissance. Ma mère était très triste et avait peur. L'expérience s'est bien passée, et après j'avais l'impression de flotter. Puis j'ai entendu : " Quelle ravissante petite chose! " Je crois que mon père faisait partie de ce conseil comme moi. Il me semble que j'ai de lourdes responsabilités dans cette vie. »

Je ramassai tous ces comptes rendus et les rangeai dans ma valise, pressée de retrouver mon bureau en Californie et de réunir toutes ces réponses. J'en connaissais désormais le contenu mais il était temps de le transmettre au public.

C'est ainsi que j'établis un rapport fondé sur 750 cas de sujets hypnotisés.

3

CHOISIR DE RENAÎTRE

Nous sommes tous d'accord, je pense, sur le fait que la vie est parfois difficile et douloureuse. Pourtant, nous nous y accrochons et nous redoutons la mort. La médecine moderne se consacre à la préservation de cette vie, valeur si sacrée de notre culture séculaire. On mesure l'étendue d'une catastrophe au nombre des morts et non à la souffrance des survivants. La peur de la mort est profondément ancrée en beaucoup d'entre nous et se trouve au centre de nos phobies. Certains disent que la peur de la mort est à l'origine de toutes les religions du monde et que c'est en cherchant à nous en débarrasser que nous inventons le ciel, l'enfer ou la réincarnation.

Mais est-ce vraiment la mort elle-même que nous craignons ou la souffrance physique ou morale qui la précède?

« Il est parti très vite, une crise cardiaque dans son sommeil. Heureusement, il n'a pas souffert. »

Nous y avons tous pensé à l'annonce de la mort soudaine d'un ami.

La peur de la mort est-elle la peur de l'inconnu? Est-ce la même angoisse que celle qui nous prend lors de chaque expérience nouvelle? L'Hamlet de Shakespeare le ressentait ainsi :

« Dormir, peut-être rêver. Mais dans le sommeil de la mort, que peut-on rêver? »

Mon expérience, sous hypnose, de la naissance et de la pré-naissance faisait suite à l'expérience sous hypnose de trois morts après trois vies antérieures. Tous les sujets pouvaient refuser cette option. Pourtant, seuls 10 % d'entre eux décidèrent d'éviter de revoir leurs morts.

Il n'est pas de commune mesure entre « fantasmer » ou « se souvenir » de morts passées et en vivre véritablement une. Je n'avais jamais posé comme *a priori* dans mes préparations à l'hypnose que le « souvenir de la vie passée » avait un quelconque effet thérapeutique. Pourtant, beaucoup de sujets m'ont confié avoir ainsi perdu leur angoisse de la mort.

« Il me semblait que j'inventais ces vies passées. Rien n'avait l'air d'être réel. Mais quelques jours plus tard, je me suis rendu compte qu'une chose importante m'était arrivée », me dit Françoise. Nous nous étions rencontrées chez des amis communs environ un mois après les expériences. « Auparavant, j'étais terrorisée par l'anesthésie, même pour m'arracher une dent. Je luttais pour ne pas être inconsciente. Je pensais que ça ressemblait à la mort et j'avais peur. Mais depuis que j'ai " vu " ma mort dans une vie précédente, je n'ai plus peur. »

Je sus ainsi que 90 % des sujets avaient vécu la

mort comme une chose plaisante. Et aucun n'avait perdu son entrain à vivre. Je pensais donc qu'ils vivaient le retour à la vie dans un autre corps comme une expérience agréable; je me trompais :

Des 750 sujets racontant leur expérience de la naissance, 81 % affirmaient avoir choisi de naître, ce choix étant vraiment le leur. Mais je me suis rendu compte que j'avais peut-être posé une mauvaise question. Une majorité d'entre eux avait donc choisi de naître, mais beaucoup l'avaient fait à contrecœur, sur les instances d'un guide. Ils me racontèrent que, bien qu'ayant le droit de refuser, ils se sentaient obligés de naître, par devoir. C'était un peu comme choisir de faire son service militaire : on ne le fait pas spontanément, mais on s'y résout parce que c'est obligatoire. Les impressions varient beaucoup selon les sujets, même parmi ceux qui ont choisi de naître.

Seuls 26 % d'entre eux étaient heureux de revivre et avaient soigneusement préparé cette arrivée.

« Oui, j'ai choisi de naître... »

« ... Parce que je devais continuer et améliorer la tâche que j'avais commencée dans une vie passée. J'attendais de revivre avec impatience. » (Cas A–157)

« ... Les énergies qui m'entouraient m'ont été d'une grande aide, mais c'est moi qui en ai pris la décision. Je n'avais pas peur. » (Cas A–176)

« ... D'autres m'ont aidé. J'avais le choix entre plusieurs entités (corps fœtaux) mais le fait de connaître tous ceux avec qui je devais vivre facilita ma décision. J'attendais cette vie avec bonheur. Je craignais seulement pour la santé de ma mère. » (Cas A–217)

« ... Beaucoup me le conseillaient. J'étais anxieux de voir ceux qui avaient franchi le pas avant moi. » (Cas A–220)

« ... J'étais très heureux et j'avais confiance. Nous avons choisi, en groupe, de revenir. Nous avions tous une tâche spécifique à accomplir. J'étais fou de joie à l'idée de renaître. » (Cas A–393)

« ... ainsi qu'un petit groupe de gens. Nous étions six personnes. J'étais très excité à l'idée de vivre maintenant et de participer ainsi à tous les changements qui devaient avoir lieu sur terre. En renaissant, je savais que j'allais retrouver des êtres que j'avais connus. Certains me guideraient. » (Cas A–372)

« ... J'ai vraiment eu l'impression de me glisser dans une enveloppe charnelle. C'était alors dans un autre espace car j'ai senti une pression en entrant dans la réalité physique. J'étais très heureuse et impatiente de vivre. » (Cas A–349)

« ... Des gens autour de moi me donnaient avis et conseils sur cette vie à venir. J'étais prêt pour cette vie mais je voulais en même temps rester dans l'autre énergie. En entrant dans le fœtus, j'étais très joyeux. » (Cas A–345)

« ... J'ai été conseillée par un groupe réuni en cercle. Ils semblaient être assis sur de grandes chaises en bois, et leurs coutumes me semblaient plutôt anciennes. J'étais impatiente de revivre car je savais que j'avais encore une partie de la leçon à apprendre. » (Cas A–325)

« ... Il me semblait être entourée de quatre entités qui me conseillaient. Je voulais vivre cette vie. Je sentais que c'était une période importante car mes conseillers insistaient pour que je la vive. » (Cas A–302)

« ... J'attendais cette venue. Personne ne m'a guidée dans ce choix mais je savais que je pouvais demander de l'aide si j'en avais besoin. J'ai senti que tous les éléments étaient réunis pour que je vive cette époque. » (Cas A–576)

« ... J'en parlais avec trois personnes qui devaient revivre plus tard. J'étais prêt et je savais ce qui m'attendait. » (Cas A–476)

« ... Nous étions tous d'accord dans le groupe. Je sentais que cette époque était bien pour moi. Je voulais arriver à quelque chose avec les autres; je souhaitais m'exposer à une vie dissolue pour pouvoir la maîtriser ensuite. » (Cas A–443)

« ... Un homme m'a aidée dans ce choix. Nous étions très amoureux l'un de l'autre. Je voulais vivre cette vie parce que je devais terminer une part importante de mon existence. Je regardais un fœtus sur terre. L'homme que j'aimais m'entourait de son bras, et nous étions très heureux. C'était étrange, un peu comme des parents qui regardent le berceau d'un nouveau-né. Nous étions satisfaits de notre choix. » (Cas A–15)

« ... J'ai attendu longtemps. Personne ne m'a aidée à prendre cette décision mais un vieux monsieur était avec moi. J'étais anxieuse de revenir et je me demandais si mon corps allait être bien conformé. Je me suis rendu compte que dans une vie précédente, j'étais née des mêmes parents. J'étais, alors, ma sœur aînée, morte trois mois après sa naissance à la suite de problèmes de santé. C'est

47

pourquoi j'étais si anxieuse de savoir si cette fois tout se passerait bien. » (Cas A–43)

« ... Je fus aidé dans cette décision par un conseil d'âmes. Je ne me posais pas de question à propos du but de cette vie; je sentais que je devais revenir car mes parents avaient perdu une petite fille de quinze mois, morte dans un incendie. » (Cas A–48)

« ... Pour moi, la question ne semble pas s'être posée. C'était inévitable. Je ne crois pas que quelqu'un m'ait aidé à prendre cette décision; par contre, je savais ce qui m'attendait dans cette vie. » (Cas A–112)

« ... J'ai pensé que c'était une chose qui arrivait naturellement, que tout le monde fait. J'ai suivi des cours avec des professeurs avant de naître. J'attendais avec impatience l'expérience de cette vie. » (Cas A–140)

« ... Je faisais partie d'un groupe d'âmes. J'étais heureuse de renaître car nous avions décidé de tous revenir en même temps. » (Cas A–48)

« ... Personne ne m'a vraiment aidé; on m'a simplement fait comprendre la nécessité du choix. J'étais heureux à l'idée de cette vie parce que j'aime toucher et sentir les choses. » (Cas A–141)

« ... Personne ne semblait m'aider. Cette vie était pour moi un défi, une épreuve et j'en préparais le scénario pour être sûr d'y apprendre tout ce que je souhaitais. » (Cas A–154)

Un petit sous-groupe (environ 3 %) de ceux qui avaient choisi de naître l'avaient apparemment fait contre l'avis de leurs conseillers et maîtres. Leurs comptes rendus étaient intéressants :

« ... Je ne pense pas avoir été aidé. Mais quand vous m'avez demandé ce que j'attendais de cette vie, il m'a semblé que j'aurais dû être plus attentif et attendre quelques années encore. » (Cas A–42)

« ... Je souhaitais vivre dans une grande famille. Mon frère avait été un bon ami à moi. En entendant votre question, j'ai pensé à une personne qui s'appelait Marie et de qui j'étais très proche. Je voulais qu'elle vienne avec moi mais elle a refusé. J'entendais quelqu'un qui répétait : " Attends un meilleur moment, une famille plus petite te consacrerait plus de temps. " Mais je disais : " Non, il faut que ce soit maintenant. " Je ne voulais pas attendre trop longtemps. » (Cas A–191)

« ... J'étais pressée, et je n'étais pas certaine de mon choix. Il me semble, et cela d'ailleurs m'est revenu en mémoire quand vous l'avez mentionné, que quelqu'un me conseillait de ne pas renaître. Mais je sentais qu'il me fallait résoudre quelque chose. » (Cas A–209)

« ... Quand j'ai entendu votre question, il m'a semblé qu'il y avait eu quelqu'un qui voulait m'en empêcher. On me mettait en garde. Je sentais qu'il fallait que je vienne sur terre pour *jouer*. Mais après ma naissance, ce qui m'entourait m'a paru trop dur. L'atmosphère était rude ici. Je m'attendais à des jeux, mais tout ce qui m'entourait n'était que souffrance, et j'avais envie de retourner dans l'espace où tout n'est que lumière. » (Cas A–339)

« ... Certaines entités ont tenté de m'en empêcher, mais je n'ai rien écouté. J'étais impatient de finir une chose que j'avais commencée. » (Cas A–320)

« ... Ce fut pour moi une décision prise dans la

panique. Je crois qu'il y avait des guides, tels de grands faisceaux de lumière, qui me conseillaient de ne pas naître maintenant. Mais j'étais décidé. Je voulais absolument vivre cette vie, tout en sachant que ma mère n'était pas prête à m'accueillir. Mais j'avais des choses à accomplir dont trois voyages vers le *karma*. » (Cas A–493)

« Quand vous avez demandé si j'avais choisi de naître, je me suis senti attiré et attaché au fœtus. Il me semble que j'avais été envoyé parce que je voulais une mère. C'était là mon seul sentiment : je devais retrouver une mère. Cette vie et la période qui l'a précédée me semblent être le résultat de la mort traumatisante que j'ai connue, enfant, dans ma vie précédente. » (Cas A–440)

La majeure partie du groupe, 67 %, a choisi de naître, mais non sans une certaine réticence :

« ... Je fus aidée mais on ne m'a pas dit ce que je devais faire. Il me semble que j'en discutais avec deux personnes. Je n'étais ni très anxieuse ni inquiète à l'idée de renaître. Je savais que ce ne serait pas long. J'ai eu l'impression de partir en regardant sans cesse en arrière... J'ai attendu la dernière minute. » (Cas A–7)

« ... et il me semble qu'il y avait un groupe de responsables qui m'aidaient dans ce choix. Je n'étais ni inquiet ni réellement intéressé à l'idée de vivre cette période, mais je savais que j'avais des actions à accomplir. Toute la naissance m'a paru un voyage ennuyeux et désagréable dans le but d'accomplir quelque chose ici-bas. C'était une urgence... » (Cas A–408)

« ... La décision ne fut pas aisée. J'étais aidé par

un groupe. Ils écoutèrent ce que j'avais projeté et émirent quelques suggestions. Je n'étais pas très heureux à l'idée de vivre maintenant, mais je savais que j'avais à faire des choses suffisamment importantes pour surmonter le fait que je n'avais pas envie d'être confiné dans un monde physique. » (Cas A–431)

« Je ne voulais pas naître, mais un conseiller m'a convaincu en me disant que je devais aider l'humanité à y voir plus clair. Cet homme portait, je crois, une barbe blanche et une canne. C'était une sorte de guide spirituel. Lorsque vous avez demandé pourquoi je voulais naître, c'est alors que j'ai réalisé combien je ne le souhaitais pas. Je sais que j'ai essayé de provoquer une fausse couche dans l'utérus de ma mère. » (Cas A–434)

Lors de cette expérience, le sujet suivant sortait d'une maladie longue de deux ans, qui avait menacé sa vie :

« On m'a persuadé de revenir avec d'autres afin de perfectionner ce que j'avais laissé inachevé dans ma vie précédente. Il y avait trois mentors avec moi, mais je n'en vois qu'un clairement. Lorsque vous avez demandé : " Pourquoi cette vie? ", j'ai alors regretté l'endroit que j'avais quitté; j'ai décidé de faire tout ce qu'il fallait pour que ce soit ma dernière vie. Il me semble que j'avais deux objectifs à atteindre, l'un est atteint, l'autre demeure. » (Cas A–437)

« ... J'ai beaucoup hésité. De nombreux amis m'ont aidée. Ils voulaient que j'y aille. Je ne savais que décider parce que ma vie précédente avait été désagréable et je n'avais pas de *karma* urgent à atteindre. C'était très confortable là-bas. Je me rappelle avoir parlé à des gens qui essayaient de me convaincre. Je savais que j'avais des choses à faire, mais rien ne pressait. Je crois que je me suis laissée porter par le flot. » (Cas A–481)

« ... Un groupe en discutait mais la décision me revenait. Tout ce que j'ai pu sentir, c'est d'avoir eu à me préparer pour ce voyage en réunissant toutes mes énergies. » (Cas A–482)

« ... mais à contrecœur. D'autres m'entouraient et ils semblaient être dans le même cas. Ils disaient qu'ils resteraient près de moi pour m'aider au cours de cette vie. Pourtant, je ne voulais pas laisser ce merveilleux jardin et les amis qui étaient avec moi. » (Cas A–489)

« J'ai, à regret, choisi de naître. Il y avait des présences autour de moi, mais personne ne parlait. Je n'étais pas très heureux à l'idée de vivre cette vie. C'était plutôt comme quelque chose que l'on doit finir, sans la certitude de pouvoir y parvenir. » (Cas A–490)

« ... mais pas spontanément. Il y avait des silhouettes autour de moi qui m'aidaient dans cette décision. Certaines avaient des formes humaines et d'autres des formes géométriques. Tous insistaient sur le fait que c'était nécessaire; je me suis donc senti un peu forcé. » (Cas A–491)

Les sujets suivants décrivent le cas intéressant où on choisit le corps qu'une autre entité a refusé :

« Oui, j'ai choisi de naître. Et la personne qui m'a aidé est celle qui avait tout d'abord opté pour le corps que j'allais avoir. L'idée de vivre cette vie me rendait très anxieux. Il me semble que j'étais mort peu de temps auparavant, et je n'étais pas rassuré à l'idée de recommencer. J'ai pensé que l'époque me donnerait une chance de vivre autre chose que ce que j'avais connu précédemment. » (Cas A–494)

« Je ne sais pas si j'ai choisi de naître. Il y avait des gens autour de moi alors que je prenais la décision, suggérant les travaux que je pourrais accomplir. Mais je préférais rester où j'étais, car je pensais qu'il y avait vraiment trop à faire dans cette époque. Non, je n'étais pas fou de joie à l'idée de revivre. » (Cas A–524)

« ... J'étais aidée avec chaleur et affection par les entités qui m'entouraient. C'était un bon départ, mais mes sentiments à l'égard de cette vie étaient plutôt ambivalents. Je regardais d'en haut mes futurs parents, et j'avais du mal à me séparer de l'existence que je connaissais. » (Cas A–527)

« ... Nous étions plusieurs et les autres me donnaient des conseils. Nous devions tous partir en même temps. Je regrettais beaucoup de quitter l'endroit où j'étais mais je me sentais aussi transportée à l'idée de travailler ici avec les autres. » (Cas A–307)

« On m'a offert de naître au cours d'une sorte de conférence et j'ai accepté. Un vieil homme à barbe blanche semblait en être le patron. Je souhaitais avoir de nouveau un corps, j'étais donc heureuse de revivre et je souriais. Je n'étais pas ravie d'être une femme, mais j'ai tout de même choisi de revenir. » (Cas A–316)

« Oui, j'ai choisi de renaître. Un de mes amis m'a aidé à me décider en m'assurant que je recevrais de l'aide. Une autre personne m'a parlé aussi. L'idée de revivre me faisait penser à tout le travail que cela représentait, mais aussi au fait que j'allais de nouveau pouvoir manger. Avant ma naissance, il y eut une conférence où j'étais entouré de l'affection de mes conseillers. Nous avons parlé de mes projets ici-bas. » (Cas A–341)

« ... En pensant qui avait pu m'aider, j'ai eu devant les yeux l'image d'un homme en chapeau haut de forme et vêtu d'une cape. J'ai d'abord pensé que ce pouvait être mon mari, mais celui-ci devait être encore un enfant à cette époque. J'envisageais cette vie comme un ruisseau glacé qu'il fallait traverser. » (Cas A–350)

« On m'a aidé à choisir, et on m'a dit que mes futurs parents m'apporteraient amour, stabilité, confiance, énergie. J'ai pensé : d'accord, pourquoi pas? » (Cas A–351)

« J'étais réticente à l'idée de revivre, mais je savais qu'il le fallait. Au moment de prendre cette décision, je n'étais pas seule. Il y avait là ma sœur et une autre personne, mon frère d'une vie passée et mon petit ami dans cette vie. Je n'avais pas envie de venir à cette époque; néanmoins je me décidai car les conseillers me montrèrent que c'était ce qu'il fallait faire. J'ai aimé cette expérience entre deux vies : c'était formidable de reconnaître les gens! » (Cas A–354)

« ... Je pense que c'est mon frère d'âme, mon mari dans cette vie, qui m'a aidée à choisir. Je savais qu'il fallait que je revienne sur terre, bien que cette idée m'attristât. » (Cas A–361)

« ... Au départ, j'étais contre. Cinq conseillers qui semblaient avoir été des chefs dans des vies précédentes m'entouraient. J'avais peur de cette époque, mais je voyais la femme qui allait être ma mère et je l'aimais; je voulais qu'elle soit heureuse. Mes

54

conseillers m'avaient dit que je devais venir pour chercher, montrer, enseigner, apprendre. Je connaissais mes amis et mes amants. » (Cas A–371)

« ... Ceux qui m'ont aidé à choisir semblaient m'aimer beaucoup. Mais je n'étais pas sûr d'avoir envie de cette époque. Il fallait d'abord que je me décide, ensuite tout irait bien. Mais j'étais heureux dans l'autre dimension; c'est si agréable de voir les choses en perspective. » (Cas A–398)

« ... Je sentais que cela allait être dur. Quelqu'un de plus savant et sage que moi m'a aidé à choisir. Je sentais qu'il fallait que je le fasse. C'est comme nettoyer le sol quand il est sale. » (Cas A–285)

« ... mais ce n'est pas moi qui m'en suis occupée. C'était plutôt comme une agence de voyages qui vous donne les billets en vous disant où vous pouvez aller. Deux ou trois amis m'ont entourée, l'un d'eux avait l'air d'être un sage. J'ai ressenti cette future naissance comme si on me forçait à me jeter dans l'eau d'une piscine. Revenir dans un corps était une perspective qui ne m'enchantait pas. » (Cas A–231)

« Je ne pense pas avoir choisi de naître. Il me semble que je m'accrochais, dans les nuages, à une silhouette maternelle, et j'hésitais à revenir. Je savais qu'il me fallait trouver ma seconde moitié. J'avais l'impression d'être une petite fille. » (Cas A–207)

« ... J'avais l'aide de plusieurs guides qui étaient très encourageants. L'idée de revivre me faisait peur; je redoutais les chocs. Pas tellement ceux que je pouvais recevoir, mais ceux éprouvés par les autres. Je sentais la confusion et l'émotivité de ceux qui attendaient ma naissance. » (Cas A–204)

« Il me semble que j'attendais de naître avec quelques autres. Personne ne m'a aidé. Je m'amusais avec les autres qui attendaient de naître. Je sentais que je devais les revoir après ma naissance. » (Cas A–198)

« Je n'avais pas envie de naître, mais j'ai quand même choisi de le faire. Quelqu'un me disait que cela était nécessaire. Je ne voulais pas vraiment quitter la sécurité de mon nuage pour le froid et l'insécurité. » (Cas A–190)

« J'ai choisi de naître, à contrecœur. J'ai pris seul la décision. Je ne voulais pas vivre cette époque-ci, mais je sentais qu'il le fallait. » (Cas A–185)

« ... mais je ne vois personne qui m'aurait aidée. Je savais que j'avais besoin de l'expérience de cette vie, mais je n'aimais pas ce qui m'attendait. » (Cas A–165)

« ... et plusieurs amis m'ont aidée. Je n'étais pas très enthousiaste, mais ils me disaient : " Vas-y, ça sera bien pour toi. " Je sentais qu'il y avait beaucoup de choses à faire, surtout en ce qui concernait mes relations avec ma mère. » (Cas A–142)

« ... mais à regret. J'étais très triste. Je me voyais comme un vieil homme avec une robe et une très longue barbe. Après la naissance, j'étais toujours ce vieil homme, mais dans un corps minuscule. » (Cas A–116)

« Je n'ai pas vraiment choisi de naître. C'était quelque chose que je devais faire pour passer certains tests et apprendre certaines leçons. Il me semble que j'étais aidé par une sorte d'ordinateur. Je devais revivre parce que c'était un devoir. J'entendais des gens parler de fausse couche ou inciter ma mère à avorter. Je savais néanmoins que j'allais naître. » (Cas A–104)

« ... mais je ne peux pas dire que ce soit un choix au sens rationnel ou analytique. C'était plutôt une intuition. Je ressentais une certaine anxiété, que je connaissais déjà. Je savais que je devais le faire, et je savais aussi pourquoi. » (Cas A–101)

« Je ne sais pas vraiment si j'ai choisi de naître, il y avait des silhouettes très confuses autour de moi pour m'aider mais tout était très obscur. » (Cas A–84)

« ... J'étais entourée de conseillers. Je me sentais triste et déprimée. Des larmes coulaient le long de mes joues pendant la séance d'hypnose. » (Cas A–55)

« ... J'étais guidé et entouré mais néanmoins déprimé. Je ne voulais pas vivre cette vie mais je savais que j'avais besoin de cette expérience. » (Cas A–51)

« ... Il me semble que j'ai fait ce choix avec mon mari actuel. Mais cette perspective me mettait en colère. Cela me faisait mal et m'étouffait de penser que j'allais avoir de nouveau un corps. » (Cas A–46)

« J'ai choisi de naître à regret. Comme si on m'avait mis en haut d'une pente que je ne pouvais que descendre. Il y avait des guides autour de moi. En pensant à la vie qui m'attendait, j'étais empli de crainte et d'anxiété, mais on m'a promis de m'aider. » (Cas A–22)

« ... Personne n'a décidé pour moi. Il y avait des gens qui semblaient me dire qu'ils étaient là pour me donner l'aide nécessaire, mais je n'ai rien demandé. J'avais des sentiments très confus à l'idée de vivre à nouveau. » (Cas A–21)

« ... Une sorte de mentor ou de guide m'a aidée à prendre cette décision, mais cette fois il n'est pas venu sur terre avec moi. Je n'avais pas très envie de tenter cette nouvelle expérience et j'ai résisté jusqu'au dernier moment avant d'entrer dans le fœtus. » (Cas A–14)

19 pour cent de mes sujets résistaient tant à l'expérience de la naissance, qu'ils déclaraient ne pas avoir choisi de naître ou ne pas avoir été conscients de faire ce choix. Ces cas sont proches de ceux dont la décision a été prise à contre-cœur :

« Non, je n'ai pas choisi de naître... »

« ... Quelqu'un insistait en me disant qu'il était temps de revenir. Je ne voulais pas vivre une autre vie, parce que j'étais très bien sur le nuage. Mais la voix insistait en disant que j'avais besoin de plus d'expérience. » (Cas A–227)

« ... Ce sont les autres qui m'y ont amenée. Il y avait quelqu'un au-dessus de moi, et d'autres insistaient. Je ne voulais pas revivre. » (Cas A–180)

« ... Je n'avais pas le choix. Je ne crois pas que quelqu'un m'ait aidée. Je sens que j'ai fait une erreur parce que j'aurais dû être un homme. » (Cas A–201)

« ... Je ne le souhaitais pas mais je sentais que quelqu'un m'y obligeait. J'étais fou de rage à l'idée de revivre une autre vie. » (Cas A–208)

« ... J'avais le sentiment que quelqu'un pouvait décider de ma naissance, mais je n'en comprenais pas davantage. Je ne voulais pas revivre, mais je sentais qu'il fallait que j'apprenne à aimer. Il me semblait que c'était une leçon périodique et que j'aurais à revenir encore et encore. » (Cas A–394)

« Je ne sais pas si j'ai choisi de naître, mais il me semble que j'étais la seule à pouvoir en décider. La perspective de vivre une nouvelle vie me semblait une corvée. C'est surprenant parce que j'aime la vie. » (Cas A–301)

« ... Je crois que j'ai tenté d'être moi-même guide ou maître, mais j'avais besoin d'aide. Il y avait deux guides qui voulaient absolument que je revienne, afin d'être prêt à enseigner dans un temps futur. Mais je ne voulais pas remplir les devoirs de la vie terrestre. J'aimais recevoir l'enseignement de là-bas, et je voulais éviter le contact avec les êtres de la terre. » (Cas A–557)

« ... Je ne pense pas avoir été aidée. Tout ce que je sais, c'est que j'aimais l'endroit où j'étais. Les larmes coulaient sur mes joues au cours de la séance d'hypnose. J'ai eu plusieurs visions, mais j'ignore pourquoi elles sont venues et reparties. Tout ce que je savais, c'est que je ne voulais pas être de nouveau sur terre. » (Cas A–500)

« Je n'ai pas résolu la question de savoir si j'ai choisi de naître, ou si j'ai reçu de l'aide. Il me semble que je voulais sortir de l'endroit où j'étais, parce que je ne le comprenais pas. Je voulais vraiment savoir pourquoi j'avais choisi de naître, mais je n'ai pas trouvé. J'étais dans un endroit tout blanc. Les têtes étaient blanches, les visages aussi. Je crois que je voulais revenir sur terre parce que l'endroit où j'étais me faisait peur. J'étais plus familiarisé avec la terre. » (Cas A–499)

« Quand j'ai entendu votre question, j'ai pensé que je ne voulais pas naître. Tout ce que je désirais, c'était parcourir l'univers comme un rayon de lumière. Je ne voulais pas venir mais il me semble que j'en ai reçu l'ordre. A l'idée de revivre, j'ai pensé : Ça recommence! » (Cas A–487)

« Il me semble que je devais naître mais je ne le voulais pas. La perspective de vivre une nouvelle vie ne m'enthousiasmait guère. Lorsque j'étais dans l'espace, j'étais confiné dans un triangle doré et il me semblait que le seul moyen d'en sortir était de naître à nouveau. » (Cas A–464)

« ... et je ne me souviens de personne autour de moi. Je sais que je ne voulais pas revivre parce que, mort peu de temps auparavant, j'avais besoin de repos. » (Cas A–453)

« ... Je venais de mourir dans une guerre et je cherchais un peu d'espace. Puis je me suis sentie attirée par mes parents. Personne ne m'a aidée à choisir. J'avais peur de revivre. Je ne voulais pas renaître. » (Cas A–148)

« ... On me l'a conseillé. Je ne voulais pas vivre cette période mais je savais qu'il me fallait revenir. » (Cas A–129)

« ... On m'a dit que je devais. Je ne voulais pas vivre cette époque et j'ai dit à quelqu'un : " Ils sont si pauvres! " » (Cas A–134)

« Je ne sais pas si j'ai choisi, mais personne ne m'a aidée. Je ne ressentais rien à l'idée de vivre cette vie, mais quand je suis née, j'ai éprouvé une certaine résignation et j'ai pensé : Eh bien, nous y revoilà! » (Cas A–121)

« ... J'ai eu l'impression d'être désignée sans savoir ce qui se passait. Je n'ai aucun souvenir de cette expérience, si ce n'est des images de couleurs vives avec des lignes semblables à des traces de fumée. » (Cas A–111)

« ... J'ai été très ému quand j'ai entendu la question, mais je ne sais pas si quelqu'un m'a aidé à choisir. Je crois qu'à l'idée de vivre cette vie, j'ai d'abord eu peur, puis j'ai pensé que cela me plairait. » (Cas A–99)

« ... Je ne pense pas avoir été aidée par quiconque. Je n'étais pas enthousiaste à l'idée de recommencer une vie mais une autorité l'avait décidé pour moi. » (Cas A–69)

« ... Personne ne m'aidait. J'étais effrayé à l'idée de revivre. » (Cas A–66)

« ... J'étais entouré de voix inconnues et de sources d'énergie qui me donnaient des raisons pour réintégrer un corps. Je pensais : Bon, s'il le faut... » (Cas A–37)

« ... Je pense avoir été aidée par quelqu'un, mais qui? J'étais très émue quand vous avez demandé mes réactions à l'idée de revivre. C'était effrayant. Je n'ai pas d'images de gens choisissant pour moi, mais uniquement des sensations. J'étais heureuse sur mon nuage et je ne voulais pas le quitter. » (Cas A–18)

Un autre groupe, environ 5 pour cent des personnes, n'avait pas répondu aux questions posées mais décrivait son expérience sous hypnose. Il semble que mes questions avaient suscité l'apparition de couleurs et d'images irréelles.

« Au début du voyage sous hypnose, je savais ce que vous alliez demander avant que vous ne l'ayez fait. Je voyais clairement les trois photos avant même que vous ayez ouvert la bouche pour en parler. La première n'était qu'un portrait, mais je savais très bien quels vêtements je portais dans la réalité. La plus grande partie du test du voyage a été très sensorielle. Je me sentais comme sur des montagnes russes. Puis mes mains se sont engourdies et m'ont picoté. A mon réveil, j'ai vu qu'elles étaient rouges et que mes veines avaient gonflé. » (Cas A–119)

« J'ai ressenti et vu la lumière dont vous avez parlé. Puis ma vision fut obstruée par une grande main d'homme. Après, je n'ai plus pu répondre à vos questions. » (Cas A–115)

« Quand vous nous avez amenés à l'âge de cinq ans, j'étais effrayée. C'était une sorte de cauchemar qui continua après mon réveil. Il y avait une énorme forme masculine et noire dans la pièce. Je me réveillai et la forme continuait d'avancer jusqu'à ce que je crie. Puis une très belle voix a prononcé mon nom plusieurs fois. Je suis certaine d'avoir été tout à fait éveillée à ce moment-là. » (Cas A–113. – Ce sujet n'a pas crié pendant l'expérience, ni bougé.)

« Avant de naître, j'étais dans une autre dimension. Tout était clair et coloré. Je n'étais pas vivante, j'étais libre, sans douleur et sans aucune sensation physique. Quand il a fallu choisir de naître, c'était comme lorsque les enfants prennent leur tour pour descendre un toboggan. Il fallait monter sur un monticule blanc. Le moment de la naissance dépendait un peu du moment où l'on arrivait sur le monticule. Je ne connaissais personne en particulier mais un peu tout le monde. » (Cas A–106)

« Je suis désolée, mais je n'ai pas trouvé de réponse à vos questions. Je n'avais que le sentiment de ma solitude. Je n'ai vu personne. Au cours de la naissance, en descendant la filière génitale, je me suis sentie seule; j'avais peur et j'avais froid. Dès le début de ce voyage, une odeur d'ozone flottait autour de moi (1). » (Cas A–105)

Il est intéressant de constater qu'environ 10 pour cent des sujets évoquent cette odeur d'ozone dès les premières inductions pour revivre leur naissance. Ces sujets ayant été hypnotisés dans différents groupes, cette odeur ne pouvait guère provenir de la seule suggestion. Etait-ce l'odeur des salles d'accouchement?

« Je ne pouvais pas me souvenir. J'entendais votre voix mais je résistais. » (Cas A–89)

« Je me suis réveillée dès que vous avez parlé de la naissance à cette vie. J'ai eu, un court instant, la sensation d'être enserrée dans une sorte de tunnel de chair au cours de l'accouchement, puis je me suis réveillée. » (Cas A–88)

« Je ne me souviens de rien; je me suis vite réveillé. Je voulais quitter la pièce quand vous avez demandé si je connaissais mon père ou ma mère. Je n'éprouvais alors qu'un énorme sentiment de rancœur. » (Cas A–86)

« Je ne sais pas si je désirais naître, mais lorsque vous avez demandé si j'avais été aidé par quelqu'un, j'ai eu l'image d'une mite qui me poussait à prendre une forme physique; elle utilisait différents sons.

(1) Il est fréquent que les salles d'accouchement, surtout aux Etats-Unis, dispensent de l'ozone pour faciliter la respiration.

J'ai vu des couleurs très intenses, surtout un rouge violacé. » (Cas A–516)

En résumé, si 81 pour cent de mes sujets ont déclaré avoir choisi de naître, 19 pour cent par contre déclarèrent ne pas avoir été conscients d'un choix ou ne pas pouvoir donner de réponse. Ces deux groupes étaient d'accord pour dire que d'autres les avaient aidés à choisir une autre vie. 59 pour cent font mention de plus d'un conseiller pour les aider dans ce choix. 10 pour cent ont été conseillés par des gens qui partagent cette vie avec eux. Pour certains, il s'agissait d'un père ou d'une mère, pour d'autres, de parents qui étaient morts avant leur naissance; pour d'autres encore de personnes qu'ils avaient rencontrées dans cette vie. Il est étrange de remarquer que les sujets ne font pas de distinction entre ceux qui étaient vivants au moment où leur naissance fut décidée et ceux qui étaient morts ou pas encore nés. Dans le monde qui sépare nos vies successives, il semble que notre temps chronologique ou le fait que quelqu'un soit physiquement mort ou vivant n'a que peu d'importance. 41 pour cent des sujets ne pouvaient pas identifier leurs conseillers. Ils étaient uniquement conscients d'avoir reçu des instructions ou des incitations. Beaucoup d'entre eux déclarèrent avoir été assurés d'une aide sur terre une fois entrés dans le corps choisi. Seuls 0,1 pour cent de mes sujets mentionnèrent Dieu ou une autre forme de déité qui les aurait guidés vers une nouvelle naissance. Ce fait mérite d'être remarqué surtout dans une culture comme la nôtre où l'on nous enseigne l'image de Dieu qui régirait nos destinées après la mort et peut-être même avant la naissance. Au contraire, la plupart des guides et conseillers avaient des rapports amicaux avec les sujets. Même ceux qui ont décrit leurs guides comme de « purs esprits » ont indiqué qu'ils n'avaient pas forcément une position supérieure à la leur, mais simplement n'étaient pas dans un corps au moment où eux-mêmes sont nés. 68 pour cent des sujets se sont sentis anxieux, peu désireux ou résignés à la perspective de commencer une vie nouvelle. 8 pour cent ne pouvaient exprimer leurs émotions à l'idée de renaître. Seuls, 26 pour cent d'entre eux étaient heureux de revenir à la vie, certains ayant même préparé et planifié soigneusement leur retour. Ceux-là avaient le sentiment que l'au-delà les aiderait à mener à bien leur tâche ici-bas. Leur joie de vivre semblait plutôt reposer sur l'espoir d'accomplir quelque chose que sur le plaisir de la vie.

La mort était une expérience heureuse pour 90 pour cent des sujets, mais la naissance était triste et effrayante. Ce n'était pas du tout ce à quoi je m'attendais! Aimons-nous réellement autant la vie que nous le professons dans notre culture? Peut-être est-ce dû au fait que la vie était plus facile autrefois. Peut-être ces réactions sont-elles dues aussi à la confusion culturelle qui a suivi les événements de la seconde moitié de ce siècle.

4

CHOISIR LE XXᵉ SIECLE ET CHOISIR
SON SEXE

Lorsque j'ai demandé à mes sujets pourquoi ils avaient choisi le XXᵉ siècle, je n'avais aucune idée des réponses que je pouvais attendre. J'étais simplement curieuse de savoir si cette période pouvait être plus propice qu'une autre à une expérience physique ou si mes sujets la considéraient comme néfaste. Le fait que beaucoup d'entre eux souhaitaient rester entre deux vies et n'acceptaient de naître qu'à contrecœur me laissait espérer des réponses défavorables. Je fus surprise. Beaucoup de mes sujets, 41 pour cent, ne trouvèrent pas de réponse ou répondirent simplement non. Peut-être le concept d'une période est-il la seule référence à une conscience terrestre. L'espace et le temps sont différents, selon que nous rêvons ou que nous sommes éveillés. En rêve, nous pouvons nous voir dans la maison de notre enfance et tout de suite après nous retrouver la semaine dernière au bureau. La notion de temps, perçue par la partie droite du cerveau, est étrange : lorsque nous rêvons éveillés ou que nous faisons un travail créateur, il passe très vite. Pour ceux qui ont fumé de la marijuana, il ralentit, car les pensées se dirigent vers la partie droite du cerveau. Combien de temps dure un rêve? Il est difficile de le deviner.

L'hémisphère gauche – celui qui fonctionne dans le monde « réel » et physique – est au repos lorsque mes sujets sont étendus sur le sol. La mémoire ne tient alors plus compte du « temps réel », et ceux-ci peuvent avoir un souvenir plus vivace de leur cinquième anniversaire que de mardi dernier au bureau.

Il est donc possible que le mot « période » n'ait eu aucune signification pour mes sujets sous hypnose. Si la partie de nous qui se « réincarne » est notre mémoire des expériences sensorielles, des amours et des haines, des attentes et des réussites, alors nous pouvons dire que notre lobe droit est la mémoire qui traverse plusieurs vies. Après notre mort, il se peut que nous oubliions des détails comme nos noms, adresses, le nom de notre pays et celui de son président, ou même notre race. Les facultés de langage dont nous sommes si fiers ici-bas sont peut-être de la moindre importance pour notre âme ou notre entité.

Si nous sommes sur terre pour apprendre, comme le suggèrent très fortement mes sujets, alors c'est l'apprentissage du cœur et des émotions qui importe.

« Laissez venir à moi les petits enfants, car eux verront le royaume des Cieux. » Jésus pensait que, en apprenant le langage, la raison et les règles de la tribu dans laquelle ils vivaient, les enfants mettent en sommeil la sagesse du moi inconscient. Le temps, donc, ne veut pas dire grand-chose lorsque nous n'avons pas un corps physique, lorsque nous sommes « morts ». Je voulais pourtant savoir si l'apocalypse qu'annoncent les religions chrétiennes allait être mentionné ou suggéré dans les réponses. Allions-nous disparaître dans des cataclysmes à la fin de ce siècle?

Jetons d'abord un coup d'œil sur les réponses des sujets qui n'ont pas choisi une période définie pour leur vie.

La plupart de ceux qui disaient ne pas avoir intentionnellement choisi le XXe siècle, ou ne pas avoir eu la possibilité de choisir, sont aussi ceux qui ont eu du mal à prendre la décision de naître :

« Quand vous avez demandé si j'ai choisi de naître, il ne m'a pas semblé avoir eu le choix. Cela me laissait même indifférent. Je ne pense pas non plus avoir choisi particulièrement cette époque. » (Cas B–23)

« Non, je n'ai pas choisi de naître, et je ne sais pas qui m'a incité à le faire, mais je n'étais pas seul. A propos du XXe siècle, je ne sais pas; je crois que ce devait être ainsi. » (Cas B–16)

« Je ne voulais pas renaître, mais les autres me disaient qu'il le fallait. Je crois avoir été forcée à vivre cette époque. » (Cas B–54)

« Je ne pense pas avoir choisi, il me semble que l'on m'a dit que je devais le faire. Au moment de la naissance, je sentais que ma poitrine était comprimée. Je ne crois pas avoir eu le choix du siècle. » (Cas B–113)

« Quelqu'un a pris pour moi la décision : je ne voulais pas quitter l'endroit où j'étais. Quant au siècle, il me semble que c'était aussi décidé à l'avance. » (Cas A–34)

« La réponse qui m'est venue à l'esprit est : non. Un groupe de gens me disait que je devais naître, mais je ne voulais pas. Je savais qu'il le fallait. Je ne sais pas si j'ai choisi cette période. » (Cas B–76)

Certains autres sujets avaient choisi de naître mais ne semblaient pas savoir que ce devait être au XXᵉ siècle.

« J'ai choisi de naître, mais à contrecœur, conseillée par d'autres, dont une personne qui insistait particulièrement. J'avais un peu peur. Je ne sais pas si j'ai choisi ce siècle. » (Cas A–12)

« J'ai choisi de naître et ce, sans aucune aide. J'étais heureuse à cette idée. Lorsque vous avez demandé pourquoi ce siècle, les mots qui m'ont traversé l'esprit ont été " non " ou " cela m'est égal ". »

« J'ai choisi de naître et je ne vois personne m'aidant à décider. J'avais peur pourtant. Je ne sais pas si j'ai choisi cette période, il me semble qu'il était temps de revenir, c'est tout. » (Cas A–381)

« Je n'ai pas vraiment choisi de naître, il a fallu qu'on m'y encourage. J'étais conseillée par des silhouettes vagues. J'étais effrayée à la perspective de revenir et je me disais : est-ce que je dois vraiment refaire tout ce chemin? A votre question sur le choix du siècle, j'ai pensé : c'est le moment de renaître, le temps de repos est terminé. » (Cas B–31)

Je fus étonnée de remarquer que, pour les sujets qui avaient répondu « oui » à la question de savoir s'ils avaient choisi leur époque, c'était essentiellement (51 pour cent) à cause de son immense potentiel de développement spirituel. Il me semble, à travers le témoignage de 34 pour cent d'entre eux, que le monde est appelé à des changements importants.

« J'ai choisi le XXᵉ siècle parce que... »

« ... c'est l'ère des changements et de l'élévation des niveaux de conscience. » (Cas B–5)

« ... les degrés de conscience vont s'élever au cours de cette seconde moitié du siècle, et je veux apprendre davantage. » (Cas A–76)

« ... nous sommes à l'aube d'un nouvel âge et beaucoup d'âmes vont s'élever vers un autre plan d'unité totale. » (Cas A–379)

« ... il semblait favorable au travail que je dois accomplir, grâce à l'unité de tous les esprits dans un âge nouveau. » (Cas A–377)

« ... je désire aider à la prise de conscience de l'unité qui s'annonce au cours de cette période. » (Cas A–383)

« ... il abrite de plus en plus d'esprits avancés. Nous sommes plus proches que jamais d'atteindre la paix et d'arriver à un seul moi pour l'humanité entière. » (Cas A–384)

« ... c'est un âge important pour la vie de chacun. » (Cas A–415)

« ... c'est une période de lumière et j'ai attendu ce moment pour revivre. » (Cas B–91)

« ... c'est le début d'un nouvel âge où l'on accepte mieux l'idée d'une connaissance plus approfondie. » (Cas A–4)

« ... c'est le moment d'un grand réveil. » (Cas A–17)

« ... c'est la naissance d'un âge nouveau. » (Cas A–47)

« ... c'est une période très importante, la connaissance va s'élever à un autre niveau. » (Cas B–68)

« ... c'est un temps de grands bouleversements, et je veux y assister. » (Cas B–69)

« ... c'est celui qui verra l'évolution la plus rapide de la volonté humaine. » (Cas B–72)

« ... c'est l'époque de la transition du religieux vers le scientifique, et la fin de cet âge sera celle d'une prise de conscience. » (Cas B–89)

« ... c'est un moment important sur le plan historique. » (Cas B–90)

« ... il va connaître des changements considérables. » (Cas A–476)

« ... il y a un réveil croissant de la spiritualité dans la culture occidentale, et je pense pouvoir y contribuer. » (Cas B–32)

« ... j'ai ressenti sous hypnose que cette époque était faite de lumières. » (Cas B–8)

Tandis que la majorité de mes sujets insistaient sur le thème du « nouvel âge », 30 pour cent répondirent qu'ils avaient choisi la seconde moitié du XXe siècle pour des raisons personnelles. C'était en général parce que des gens importants de leurs vies précédentes vivaient à cette époque :

« ... c'est la seule époque où mon fiancé et moi

pouvions nous retrouver dans les sexes que nous avions choisis. » (Cas B–7)

« ... je sentais que je devais choisir ce moment pour être en contact avec ceux qui l'avaient également choisi. » (Cas B–12)

« ... pour terminer la vie de ma sœur plus âgée. Elle est née malade et n'a vécu que trois mois. Il me semble que je suis elle. Je me souviens du " temps intermédiaire ", avant que je ne renaisse. J'attendais d'avoir une nouvelle chance dans ce même espace. » (Cas A–43)

« ... toutes les conditions semblaient bonnes. » (Cas B–87)

« ... je souhaitais être avec mon mari. » (Cas B–86)

« ... j'avais besoin d'améliorer mes relations avec certaines personnes et je souhaitais les retrouver. » (Cas B–70)

« ... je voulais essayer de mieux connaître ma mère qui était ma meilleure amie dans une autre vie. » (Cas B–55)

« ... cette période m'offrait les opportunités et les gens dont j'avais besoin. » (Cas B–33)

« ... je recherche une personne, je ne sais pas très bien qui, mais je ne l'ai pas encore trouvée. » (Cas A–32)

« ... je veux retrouver quelqu'un que j'ai connu dans une autre vie. » (Cas A-249)

« ... je voulais retrouver ceux qui avaient été mes enfants dans une vie précédente. Ce ne sont pas mes enfants maintenant; notre relation est différente. » (Cas B–111)

« ... je voulais être près de ma mère. » (Cas B–99)

« ... je souhaitais corriger certaines erreurs passées et perfectionner certaines de mes relations. » (Cas A–57)

« ... je voulais développer mon savoir et le partager avec le reste du monde. » (Cas A–33. – Ce sujet est un chercheur en chimie.)

D'autres sujets avaient des approches plus personnelles. Certains pensaient avoir un enseignement à donner :

« ... les gens étaient prêts à entendre ce que j'avais à leur dire, tout au moins à partir de 1980. » (Cas A–386)

Les comptes rendus ne reflétaient pas ce que j'attendais, à savoir la difficulté de vivre cette période. Seuls 4 pour cent des sujets ayant répondu à cette question ont mentionné que cette période était spécialement dure, mais ils insistaient sur le fait qu'ils pourraient ainsi en tirer un meilleur enseignement. L'un d'entre eux, une femme âgée, dit l'avoir choisie parce que c'était la dernière époque où elle pouvait s'occuper de sa famille dans les attributions traditionnelles de la femme. Elle ajouta :

« Je sentais que l'époque serait troublée, mais je savais que c'était la fin d'une ère. Les temps étaient difficiles, mais je pouvais rendre davantage de gens heureux. J'ai souhaité pouvoir assister au grand chambardement de la fin de ce siècle. » (Cas B–56)

« ... c'est une époque difficile mais essentielle à mon éducation. » (Cas A–41)

« ... cette époque est celle des épreuves. » (Cas A–60)

« ... je voulais vivre un temps d'épreuves et de tribulations, en sachant que ce serait bon pour mon éducation. » (Cas A–63)

« ... j'étais intéressé par ses luttes sociales et politiques. » (Cas A–65)

Un petit groupe de sujets, environ 4 pour cent, dirent avoir choisi à la fois cette époque et le sexe de femme car le statut des femmes allait changer :

« J'ai choisi de naître femme au XXᵉ siècle pour connaître ce potentiel féminin qui nous fait développer nos possibilités spirituelles et sexuelles. C'est une période où la femme est plus libre de ses expériences. » (Cas A–385)

« Je pense avoir eu besoin de faire travailler la part femelle de mon entité. J'ai choisi cette époque parce que les femmes progresseront beaucoup et je souhaite participer à cette évolution. » (Cas A–186)

« J'ai choisi cette seconde moitié du XXᵉ siècle car elle donne plus d'importance à la femme. » (Cas A–48)

« ... car les femmes y sont plus libres de faire ce qu'elles veulent. » (Cas B–83)

« ... car c'est l'époque qui voit la fin de la domination de la femme. » (Cas A–103)

« Cette époque de libération me permet de réaliser ma force et mon autonomie dans un monde d'hommes. » (Cas A–454)

Une autre partie de ceux qui répondirent à la question, 14 pour cent, donnèrent des réponses qui n'entraient pas dans les mêmes catégories que les précédentes. Certains parlèrent de l'exploration de la vie en dehors des limites terrestres :

« J'ai choisi cette période parce que c'est celle de la perception de l'espace. Je ne sais pas pourquoi, c'est la seule réponse qui m'est venue à l'esprit sous hypnose. » (Cas B–19)

« J'ai choisi cette période où l'homme quitte physiquement la terre pour d'autres planètes. » (Cas A–80)

Les autres réponses représentaient des cas uniques :

« Communication, c'est le seul mot et la seule image qui aient traversé mon esprit quand vous avez demandé pourquoi avoir choisi ce siècle. » (Cas B–37)

« J'ai choisi cette période pour des motifs politiques, je ne sais pas exactement lesquels. » (Cas B–41)

« ... à cause des conditions électromagnétiques. » (Cas B–63)

« Cette période n'a pas l'air tourmentée. » (Cas A–2)

« ... parce qu'elle va être prospère. » (Cas A–23)

« ... parce qu'elle représente la fin d'une ère pour nous tous. Je n'en sais pas plus, ce n'est pas très clair. » (Cas A–54)

Pour résumer, il semble que, pour une majorité de sujets, la question : Avez-vous choisi de naître durant la seconde moitié du XXᵉ siècle pour une raison précise? appelait des réponses très semblables. Plus de 70 pour cent répondirent que cette moitié du siècle serait caractérisée par une plus grande prise de conscience spirituelle. Il est intéressant de remarquer que beaucoup évoquèrent une prise de conscience de l'unité des êtres, lesquels allaient transcender leur individualité pour réaliser qu'ils sont liés sur d'autres niveaux. Bien qu'ayant mentionné de grands changements et des bouleversements sociaux, les divers témoignages mettent largement en valeur les aspects positifs de l'époque. De manière générale, mes sujets semblent penser que cette époque, où la science supplante peu à peu les religions primitives et où l'homme prend conscience de sa nature spirituelle, est propice aux enseignements.

Le sous-groupe le plus enthousiaste était celui des personnes qui, voulant vivre à cette époque, avaient soigneusement préparé leur vie car elles pensaient devoir assister à un nouveau développement de l'histoire de l'homme. Elles considéraient que ce qu'elles avaient appris à d'autres niveaux de connaissance pouvait maintenant être enseigné sur terre. Une minorité de sujets, environ 30 pour cent, qui ne cherchaient qu'à améliorer leurs propres relations *karmiques* avaient choisi cette période parce que d'autres personnes qu'elles connaissaient devaient également y vivre. Ces sujets étaient souvent les mêmes que ceux qui naissaient à contre-cœur et n'avaient guère d'enthousiasme pour cette vie.

J'ai inclus à mon étude la question : Avez-vous choisi votre sexe avant de naître? car la sexualité prend une place de plus en plus importante à notre époque. Les camps se divisent maintenant que les femmes se libèrent des rôles sociaux restrictifs qui leur étaient attribués, transformant ainsi les coutumes et les croyances de notre culture. Je sais que beaucoup de mes sujets avaient un sexe différent dans une vie précédente. C'est un phénomène rapporté par environ 2 000 personnes sous hypnose. Dans l'hémisphère cervical droit, le moi n'est ni mâle ni femelle. La sexualité, que nous considérons comme une part innée de notre personnalité, est-elle un aspect superficiel de notre être qui ne transparaît que dans l'hémisphère gauche de notre cerveau? Si c'est le cas, y a-t-il des leçons à tirer du choix de son sexe? 24 pour cent des sujets ayant répondu à cette question n'ont pas eu conscience de choisir un sexe plutôt qu'un autre, ou le déclarent sans aucune importance pour leur vie future :

« Non, je n'ai pas choisi mon sexe; il était seulement temps de renaître, et j'ai choisi ce qui était possible. » (Cas A–381)

« Je pense que mon sexe n'avait aucune importance. » (Cas B–28)

« Mon sexe n'avait aucune importance pour le but que je m'étais fixé. » (Cas B–80)

« Je n'ai pas choisi mon sexe; si j'avais dû le faire, j'aurais été un garçon pour faire plaisir à ceux qui m'attendaient. Il me fallait uniquement être avec eux. » (Cas B–71)

« J'ai choisi d'être un homme... »

28 pour cent de mes sujets étaient des hommes, et leurs réponses différaient quand il s'agissait de savoir pourquoi ils avaient fait ce choix. Ces répon-

ses n'entrent pas facilement dans des catégories, mais la plus fréquente est celle qui consiste à dire que l'homme est l'être dominant de cette société, et qu'ainsi, il lui est plus facile d'atteindre son but :

« ... pour construire des objets, des maisons, etc. » (Cas A–23)

« ... pour pouvoir développer mon sens de la domination. » (Cas B–56)

« Je n'ai pas vraiment choisi mon sexe mais j'étais content d'être un homme, cette fois. J'avais été une femme dans ma vie précédente et mon existence avait été misérable. » (Cas A–57)

« Je voulais être une femme pour le plaisir, mais j'ai choisi d'être un homme parce que les épreuves seraient plus dures. » (Cas B–25)

« J'ai choisi d'être un homme pour ma femme. Je suis venu à cette vie pour l'aider à résoudre un problème; elle, avait choisi d'être une femme. » (Cas A–27)

« ... car il m'était ainsi plus aisé de participer aux efforts scientifiques. Je voulais participer aux transformations qu'apporte la science à cette époque. » (Cas A–19)

« ... parce que j'étais un homme dans ma vie précédente et que je voulais reprendre les choses où elles en étaient restées. Je voulais être un savant dans une autre vie, mais je suis mort jeune soldat. » (Cas A–36)

« ... parce que j'entrais dans une société dominée par l'homme, cela me permettait de mieux accomplir ma tâche. » (Cas A–21)

« ... pour résoudre des problèmes sexuels que j'avais eus en tant qu'homme autrefois. » (Cas A–2)

« J'ai choisi d'être une femme... »

Parmi mes sujets, 48 pour cent avaient choisi d'être femme. Environ un tiers donnaient comme raison essentielle d'avoir des enfants. Mais il y avait d'autres réponses :

« ... parce que je pensais qu'ainsi il était plus facile de venir en aide aux autres. Ils accepteraient plus facilement l'aide d'une femme que celle d'un homme. » (Cas A–7)

« ... parce que les femmes sont plus tendres, expressives, et davantage en contact avec leur inconscient que les hommes. » (Cas A–384)

« ... pour être quelqu'un de plus doux. Je voulais d'abord être un homme puis j'ai changé d'avis. » (Cas A–17)

« ... parce que c'est une voie plus aisée vers l'amour créatif. » (Cas A–45)

« ... pour pouvoir donner naissance aux futurs explorateurs de la vie. » (Cas A–47)

« ... parce qu'un homme ne peut pas donner autant qu'une femme. » (Cas A–11)

« ... parce que mon mari voulait que nous ayons le même sexe que dans la vie où nous étions ensemble en 1503. » (Cas A–15)

« ... pour être mieux acceptée de mes parents. » (Cas A–387)

« Quand vous m'avez demandé si j'ai choisi mon sexe, j'ai eu la nette impression que c'était ma première vie en tant que femme. Comme si mes amis avaient pensé que ce serait une bonne blague que de m'envoyer ici en femme. C'est une bien étrange impression. » (Cas A–439)

« ... parce que mes parents avaient besoin d'une autre fille. » (Cas A–48)

« ... pour pouvoir participer au développement spirituel et sexuel des femmes, à une époque qui leur permet de vivre avec plus de liberté. » (Cas A–385)

« ... parce qu'il est ainsi plus facile de faire le bonheur des autres. » (Cas B–27)

« ... pour pouvoir m'accomplir en tant que mère et qu'épouse dans un monde où cela devient démodé. » (Cas A–63)

« ... parce que mon fiancé avait déjà choisi sa vie et c'était le seul moyen pour moi de le retrouver. » (Cas B–7)

« ... parce que j'étais un homme dans une vie précédente. » (Cas B–55)

« ... parce que nous prenons plus de pouvoir maintenant. » (Cas B–11)

« ... pour avoir des enfants et réunir aussi des âmes qui me tiennent à cœur. Il y en a plusieurs à qui je souhaiterais donner vie. » (Cas A–22)

« ... pour être avec mon mari. Nous avions décidé avant de naître de ce que seraient nos rôles respectifs. » (Cas A–47)

« ... pour me sentir fragile à mon tour. » (Cas B–95)

Les réponses montrent qu'en apparence, il est plus facile d'être un homme quand on veut dominer. Mais il est plus facile d'apprendre et d'aimer quand on a un rôle social et un corps de femme. Le résultat le plus frappant de cette étude fut toutefois de constater que, sur 750 sujets, pas un seul n'a déclaré sentir que son propre « moi intérieur » était mâle ou femelle. L'entité, à travers les expériences humaines, se situe au delà des distinctions sexuelles et doit intégrer les deux expériences – le yin et le yang, le mâle et la femelle – pour parvenir à une plus profonde connaissance.

5

POURQUOI SOMMES-NOUS SUR TERRE?
AVONS-NOUS CONNU NOS PARENTS
ET NOS AMIS DANS DES VIES ANTÉRIEURES?

Pourquoi vivons-nous? C'est une question si importante que j'ai hésité à l'inclure dans le voyage de la naissance. La plupart d'entre nous s'interrogent, y compris moi, mais la réponse nous échappe. Notre but change au fur et à mesure que nous traversons les courants, les tourbillons et les eaux dormantes du fleuve de la vie. Parfois, il rejoint celui de personnes qui nous entourent. A d'autres moments, il semble être à contre-courant de celui des autres.

Les religions nous offrent des réponses, mais elles varient selon l'époque. La plupart des religions eurent à l'origine la vision mystique d'un précurseur. Mais, devenues cultes hiérarchisés, elles ont perdu leur sens original pour devenir des conseils de sagesse. Pour la plus grande partie de l'humanité, le but de la vie est de se conformer aux règles de la tribu, d'adorer un dieu invisible et d'éviter les conflits d'ordre social : « Occupez-vous de vos affaires et ne faites pas trop de bruit », voilà les plus anciens préceptes de la sagesse de l'histoire de l'humanité.

La majorité de mes sujets, on l'a vu, ont déclaré sous hypnose que cette partie du XXe siècle connaîtrait un nouveau développement spirituel. Quel va-t-il être? Nous avons connu depuis deux mille ans la règle d'or suivante : « Ne fais pas à autrui ce que tu ne voudrais pas qu'il te fît », mais il semble que nous ayons mal assimilé cette maxime. Mon côté pratique m'a incitée à penser que notre but sur terre était d'augmenter au maximum notre part individuelle de biens, de pouvoir et d'estime des autres. Mon côté cynique, quant à lui, remarquait que plus nos biens augmentaient, plus notre pouvoir et l'estime des autres allaient en grandissant, et plus nous étions à la recherche de quelque chose d'autre. Voilà pourquoi j'ai ajouté la question : « Quel était votre but en choisissant cette vie? »

Les sujets qui n'avaient pu se souvenir de cette expérience parce qu'ils étaient allés trop loin et s'étaient trouvés proches du sommeil, ou bien ceux qui n'avaient pu répondre à cette question, s'étaient sentis frustrés parce que c'était la réponse qu'ils cherchaient à travers cette expérience :

« Quand vous avez demandé quel était le but de cette vie, je sentais qu'il en existait un mais je ne le connais toujours pas. » (Cas A–65)

« Il me semble qu'avant de naître, le but de cette vie avait fait l'objet d'une discussion. Mais quand je suis né, avec deux compagnons inconnus pour m'aider, je ne savais plus rien ni de mes vies antérieures ni du but de ma vie actuelle. » (Cas A–364)

« Je sais qu'il y avait une raison à ma venue, mais je ne me la rappelle pas. » (Cas A–373)

Parmi ceux de mes sujets qui répondirent à cette question, 25 pour cent déclarèrent que leur but était de parvenir à plus de connaissance à travers des expériences supplémentaires. Voici quelques exemples de ce type de réponses :

« Dans une vie passée, que j'ai revue sous hypnose, je vivais dans une communauté en Asie et j'étais un moine contemplatif. Personne ne me voyait ou ne m'entendait. Au cours de cette vie actuelle, je vais un peu plus m'occuper de moi. » (Cas B–90)

« Mon but est simplement d'agir de mon mieux, de vivre et de faire des expériences. » (Cas A–382)

« Je ne sais pas du tout pourquoi je suis née. Je ne le voulais pas, en tout cas. Peut-être suis-je ici pour apprendre à aimer la vie. » (Cas A–429)

« La première réponse qui me vient à l'esprit est que je devais retrouver une autre réalité physique pour parvenir à une plus grande connaissance. » (Cas A–287)

« Mon but dans cette vie est simplement d'en apprendre davantage sur moi. » (Cas B–28)

« Mon but était de faire l'expérience de la vie en tant qu'être humain de peu d'importance, tout en prenant part à la révolution scientifique de ce siècle. » (Cas A–19)

« Mon but était de me réaliser en tant qu'épouse et mère, et de vivre un temps d'épreuves dont je tirerais beaucoup d'enseignements. » (Cas A–63)

« En entendant votre question, je me suis sentie très troublée. Je crois que je suis là pour comprendre les raisons de la confusion dans laquelle se trouve le monde. » (Cas A–1)

« Avant ma naissance, il y avait une sorte de conférence, et je me sentais entourée d'amour. Mon guide me parla du but de ma vie qui semblait faire partie d'un plan. » (Cas A–341)

« J'ai entendu une voix me dire que j'avais besoin de plus d'expériences. » (Cas A–277)

« Il semble que je sois morte il y a peu de temps, et je ne voulais pas retrouver une forme physique. Je pensais toutefois que cette époque me donnerait la chance d'avoir une vie meilleure que celle que j'avais connue auparavant. J'ai choisi d'être très entourée pour connaître de multiples expériences. » (Cas A–494)

« J'avais hâte de retrouver un corps et de recommencer. Je cherchais à apprendre et à comprendre à travers le plus grand nombre d'expériences possible, bonnes ou mauvaises. » (Cas A–197)

« Avant ma naissance, je n'étais pas seule; on disait que je devais naître pour apprendre à faire des choix et pour briser la barrière qui existe entre la réalité tridimensionnelle et la réalité de base afin que tout cela se confonde. C'est ce que je dois tenter de faire dans cette vie. Cas A–189)

« Le but de ma vie est de rassembler les éléments épars qui forment cette vie complexe et de devenir un Icare triomphant qui va vers le soleil sans frayeur, tenant les rênes bien en main. » Cas A–156)

18 pour cent des sujets déclarèrent que leur but était de retrouver une ou plusieurs personnes de leurs vies passées pour améliorer leurs relations :

« En choisissant de naître, je savais que l'un de mes futurs enfants était avec moi dans cette période entre deux vies et le but de ma vie était de donner naissance à un grand chef; ce fils-là serait un grand chef à l'origine de changements sociaux importants. Je ne voulais pas que mes autres enfants le sachent. J'ignorais cela avant cette séance d'hypnose. » (Cas A–187)

« Lorsque vous avez demandé le but de cette vie, j'ai compris que je devais aider mes parents à atteindre leur *karma*. J'étais leur instrument pour y parvenir. » (Cas A–151)

« Je me rends compte maintenant que le but de ma vie était d'aimer ma mère sans ignorer les sentiments qu'elle me portait. C'est dur! » (Cas A–242)

« Quand vous avez demandé le but de cette vie, ma seule pensée fut précisément que je devais l'atteindre. Je sais aussi que je cherche des gens que j'ai connus dans d'autres vies. L'une de ces personnes était un de mes proches chez les Mayas. Une autre sera un de mes enfants. J'attends cet enfant avec impatience. Je ne sais pas si ce sera un garçon ou une fille mais je sais que ce sera quelqu'un que j'ai connu. Je suis aussi heureuse de retrouver un amant que j'ai revu au cours de la séance d'hypnose dans des vies antérieures. Je réalise maintenant combien il compte dans ma vie. Pourtant, sous hypnose, il ne semblait pas être le but essentiel de cette vie. Je suis juste contente d'être de nouveau avec lui. Mais l'homme du temps des Mayas et mon futur enfant sont ceux que j'attends de retrouver. » (Cas A–391)

« Il me semble que je suis née pour faire l'expérience du rejet de ma mère et de ma sœur afin de parvenir à un détachement suffisant qui me permette de me consacrer aux tâches spirituelles. » (Cas A–338)

« Je savais que mon but était de retrouver l'homme qui m'a aidée à renaître et de parcourir ensemble une partie très importante de ma vie. » (Cas A–15)

« Je devais établir une relation nouvelle avec les gens à qui j'avais fait du mal dans des vies antérieures. Mon mari, dans cette vie, est alcoolique; je dois l'aider parce que j'ai été très méchante avec lui dans une autre vie. » (Cas B–11)

« Il me semble clair que mon but dans cette vie était d'être une mère. Je pensais que le monde avait besoin de mères et j'ai choisi d'élever une famille pour satisfaire des enfants que j'avais connus dans une autre vie. » (Cas B–64)

« C'était pour faire quelque chose pour les gens à qui j'avais fait du mal dans une autre vie. » (Cas B–70)

« Il m'est venu clairement à l'esprit que j'étais venu sur terre en tant qu'homme, parce que je devais retrouver quelqu'un. C'est tout ce que je sais. » (Cas A–32)

« Quand vous avez posé cette question, il m'est clairement apparu que c'était pour m'occuper de ma mère. » (Cas B–99)

« Apparemment, le but de ma vie était d'être

proche de mes enfants, que j'ai connus dans des vies antérieures. » (Cas B–111)

« Il me semble que la raison pour laquelle j'ai choisi de revenir, spécialement à cette époque, était de retrouver ceux qui avaient fait le même choix. C'était l'effort de groupe. » (Cas A–527)

18 pour cent de mes sujets déclarèrent être venus sur terre pour y dispenser l'amour. Le but n'était pas d'être avec telle ou telle personne, mais d'apprendre à aimer :

« Le but de ma vie était de descendre sur terre et de distribuer un peu de cette lumière et de cette paix que j'avais connues là-haut. Je devais donner de l'amour, de la façon la plus totale et la plus libre possible. » (Cas A–190)

« Mon but dans la vie était d'apprendre à vraiment aimer comme je le devrais. » (Cas A–200)

« Quand vous avez posé cette question, j'ai entendu distinctement les mots " pour bien m'entendre avec les autres ", répétés trois fois. » (Cas A–188)

« Je devais naître pour soulager les souffrances, les peines et les chagrins d'autrui. Je savais que mes parents devaient m'aider à atteindre ce but. » (Cas A–251)

« Quand vous avez posé cette question, j'ai pensé qu'elle était superflue, parce qu'il était évident que j'étais là pour aider les autres. » (Cas A–333)

« A cette question, je me suis rendu compte qu'il me restait encore beaucoup, beaucoup de vies à vivre. Il fallait que je revienne pour accomplir ce qui est prévu et parvenir à notre universalité. Il m'est apparu aussi nettement que je ne devais pas m'attacher aux autres de façon possessive. » (Cas A–360)

« Je suis venue sur terre pour apprendre l'amour et la compassion. » (Cas A–590)

« Je suis venue sur terre pour être une compagne tendre et passionnée pour mon mari. » (Cas A–586)

« Il me semble que je touche maintenant au but de ma vie. Les gens m'inspirent une telle compassion que mon devoir doit être de les aider. » (Cas A–574)

« La réponse qui a traversé mon esprit est que j'étais ici pour apprendre à aimer et évoluer. » (Cas A–547)

« Le but de ma vie consistait à apprendre la patience, l'amour et à soulager la solitude en aimant les autres. » (Cas A–57)

« Le but de cette vie était d'aimer et de donner; de faire aussi l'expérience d'être une femme. » (Cas A–22)

« Le but de cette vie? Tout simplement : aimer. » (Cas B–86)

« Mon but était d'aimer et de donner de la force aux autres. » (Cas A–49)

27 pour cent ont dit que le but de cette vie consistait à s'améliorer spirituellement et à dispenser un savoir aux autres :

« Je pense que mon but dans cette vie est d'apprendre l'humilité – savoir que chacun de nous est profondément semblable à l'autre. Il me faut aussi l'enseigner et donner l'exemple. » (Cas A–434)

« J'étais là parce qu'il était important que j'aide

les autres et que j'apprenne à aimer. » (Cas A–143)

« Mon but était de guider d'autres âmes à travers cet âge qui marque la transition de la culture matérielle à la culture cosmique. » (Cas A–419)

« Mon but était de travailler avec les autres à développer la prise de conscience du moi. » (Cas B–56)

« Je pensais qu'on devait avoir besoin de moi pour aider les gens dans cette seconde partie du XXᵉ siècle, les conseiller psychologiquement et les aider physiquement au moment où cette ère va parvenir à la conscience totale. » (Cas A–7)

« Je savais que mon but était d'enseigner la prise de conscience universelle et l'amour. Il faut que je participe à l'union de tous. » (Cas A–383)

« Mon but était d'éclaircir, d'élargir et de supprimer la souffrance de l'esprit humain. Je trouvais cette période très favorable. Je me sentais investi d'une énergie nouvelle après cette séance d'hypnose. » (Cas B–2)

« J'étais ici pour apprendre mais aussi pour enseigner et pour aider les autres, dans cette période qui marque la transition entre la vie scientifique et la vie spirituelle. » (Cas B–88)

« Mon but était de continuer à développer mon âme et parvenir à un stade de conscience plus profondément religieux, spirituel et énergétique, grâce aux autres. » (Cas A–377)

« Cette expérience sous hypnose a été très enrichissante, et je savais bien, quelque part, qu'il y avait une raison à cette vie. Sous hypnose, il m'est apparu que je devais enseigner à l'humanité comment mieux utiliser son esprit. » (Cas B–9)

« Le but de cette vie était d'aider au travail de Dieu afin que se fasse mieux la transition vers l'âge de la conscience cosmique. » (Cas B–2)

« Je crois que je dois, dans cette vie, faire l'expérience de l'abandon, afin de développer mes facultés de survie solitaire. J'ai choisi cette période parce qu'elle est la plus favorable au développement psychologique. Je dois aussi perfectionner mon aptitude à enseigner et à écouter les autres. » (Cas A–378)

Les 12 pour cent restant donnèrent des raisons qui n'avaient pas le caractère général des précédentes. Certaines étaient néanmoins dignes d'intérêt :

« Mon but était de maîtriser la peur! » (Cas A–353)

« Mon but était de me libérer des choses matérielles et de combattre le négativisme. Je voulais aussi combiner les émotions mâles et femelles pour parvenir à un plus grand potentiel d'amour et de force. » (Cas B–25)

« Mon but était d'apprendre l'humilité. » (Cas A–46)

« Mon but était de rester en contact avec mes frères de l'espace, et de faire s'unir la culture médicale occidentale et les méthodes des guérisseurs en Orient. » (Cas B–65)

« Mon but dans cette vie était de passer du " moi " au " nous ", d'accepter d'être responsable et de n'imposer aucune restriction à autrui. Cette période est une ère de transition. » (Cas B–82)

« Mon but dans cette vie consistait à prendre la tête d'une secte. Il me semble que c'est un but un peu politique. » (Cas B–41)

« Je suis née pour réaliser mes pensées secrètes et mon indépendance. J'ai choisi cette époque de libération de la femme car les femmes sont en train de trouver force, influence et indépendance dans un monde d'hommes. » (Cas A–454)

« Trouver ma propre identité et avoir une certaine importance pour les gens qui m'entourent, voilà mon but. » (Cas A–73)

« Les raisons de ma venue sont culturelles et religieuses. Je dois rassembler tout cela et participer à l'éveil aux choses spirituelles. » (Cas A–14)

« Je suis très heureux d'être là, et il me semble que c'est pour distribuer force et courage autour de moi. » (Cas A–196)

En résumé, ce n'est pas pour développer leurs propres possibilités que les sujets ont choisi de naître. Les buts semblent être davantage d'établir de meilleurs rapports avec les autres et d'aimer sans possessivité. Pour 28 pour cent d'entre eux, le but est d'enseigner à l'humanité à comprendre son unité et à développer une conscience supérieure. Mes sujets n'ont pas mentionné, unanimement, des buts tels qu'améliorer leur statut social, leurs biens ou leur puissance. Leurs réponses semblent indiquer que, inconsciemment, la règle d'or est à la base de l'univers. Mais apparemment, la règle selon laquelle nous devons traiter les autres comme nous voudrions qu'ils nous traitent, trouve sa vraie force dans la réincarnation. Nous serons traités comme nous avons traité les autres; nous reviendrons achever nos expériences. Les réalités qui nous entourent sont notre propre création, composée à la fois de ce que nous attendons de la vie et des circonstances que nous provoquons afin de réparer les torts commis dans nos vies passées. Nous devons maintenant apprendre que nous faisons tous partie d'un même organisme et que nous sommes tous liés ailleurs que sur terre. Jésus a dit : « Ce que vous faites au plus petit d'entre vous, c'est à moi que vous le faites. » Nous sommes autant liés au Christ qu'au condamné à mort dans sa cellule. Nous ne sommes qu'un. C'est cela la *Conscience* à son plus haut niveau.

Les liens karmiques des autres vies

Il nous arrive de rencontrer quelqu'un et d'établir tout de suite des liens d'amitié; ou bien, nous serrons la main à un étranger et nous nous détournons avec un incompréhensible dégoût. Réagissons-nous seulement à des détails comme la façon dont cette personne est habillée? S'agit-il de quelque chose de plus profond? Ces réactions seraient-elles l'écho de souvenirs enfouis dans nos vies passées? J'ai posé plusieurs questions pour savoir s'il était possible que mes sujets connaissent des gens avec qui ils ont partagé des vies précédentes. 87 pour cent de ceux qui ont répondu à mes questions sur la naissance ont dit avoir connu parents, amants et amis dans d'autres vies. Les impressions de certains étaient plus détaillées et précises que d'autres, mais il n'y avait pas de doute possible.

Parmi les 13 pour cent qui ne répondirent pas à cette question, la plupart étaient résistants à l'expérience elle-même. Bien que certains aient répondu non à la question : « Connaissiez-vous déjà votre future mère ou père, ou d'autres personnes que vous deviez retrouver dans cette vie? », leur compte rendu indiquait qu'ils en avaient tout de même une vague conscience :

« Quelqu'un me force à naître, et me promet de me suivre. Mais je ne veux pas naître. » (Cas A–598)

« Je crois que c'est mon père qui voulait que je naisse. Je ne sais pas comment j'ai réagi, je ne me souviens plus. » (Cas A–593)

« Je me sentais déplacé et sans attache. Comme une entité étrangère dans un espace étranger. » (Cas A–585)

Parmi les 87 pour cent qui avaient reconnu des personnes de leurs vies précédentes, les récits de leurs relations étaient très variés. Des pères dans cette vie avaient été des amants dans le passé, ou des mères, ou des frères, des sœurs, des amis ou des enfants. Les mères actuelles avaient été des amis, des pères, des frères, des sœurs, des enfants. Il n'y avait aucune règle dans la façon dont les gens connus dans le passé réapparaissaient. Il n'y avait aucune évidence de la théorie freudienne qui veut que les filles souhaitent avoir leur père comme amant, ou les garçons, leur mère. Ces relations étaient aussi fréquentes que d'autres. Les parents actuels étaient souvent des amis ou de lointaines relations dans le passé. Les amants avaient été des amis, des relations proches, des parents ou même des amants. Certains sujets déclarèrent que mari ou femme de cette vie avaient déjà entretenu avec eux des relations sexuelles; il semble donc y avoir une certaine tendance à revivre les mêmes expériences sexuelles avec le même sexe. Mais cela n'était le récit que d'un tiers de ceux qui avaient connu leur mari ou leur femme.

Les cas rapportés ci-dessous montrent la diversité des relations entretenues dans le passé par les sujets avec des gens qu'ils connaissent aujourd'hui :

« Ma mère était étudiante avec moi, et nous avions des rapports très harmonieux. Mon père fut mon frère aîné, et il était ennuyeux. Il me semble que nous nous moquions de lui, dans une autre vie. Mon grand-père était présent à ma naissance. Je me souviens d'avoir été très heureuse de le voir mais je ne sais pas si je l'avais connu lors d'une vie antérieure. » (Cas A–203)

« J'ai connu, dans d'autres vies, ma mère, deux amis et mon plus jeune frère. Ma mère était ma domestique et mon père était un amant. Je me souviens d'avoir connu les autres, mais je ne sais plus comment. J'ai choisi d'être une fille parce que ma mère voulait une fille. » (Cas A–508)

« Ma mère était déjà ma mère dans une vie antérieure et l'un de mes enfants dans une autre vie. Mes enfants m'ont dit avant ma naissance qu'ils voulaient être mes enfants; je les connaissais effectivement, non seulement dans des vies antérieures, mais aussi dans la période entre deux vies. » (Cas A–381)

« Ma mère était une de mes sœurs dans une autre vie. Mon père était capitaine sur un bateau où j'étais marin. J'ai l'impression que beaucoup des gens qui m'entourent dans cette vie ont vécu avec moi aux alentours des années 1600. » (Cas A–558)

« J'ai senti une énergie nouvelle quand vous avez

demandé si j'avais connu ma mère et il me semble qu'elle a été une de mes sœurs. » (Cas A–91)

« Ma mère était un prêtre irlandais dans une vie précédente. Ma sœur était une religieuse. Mon père était un Indien américain. Je savais que j'allais être rejetée affectivement par ma mère et ma sœur. » (Cas A–338)

« Je connaissais ma mère et je sais que je l'ai choisie pour terminer ce que nous n'avions pas fini ensemble. J'ai vu la fille d'une de mes amies au cours de cette séance. Je savais qu'elle m'aiderait à plusieurs reprises dans cette vie. C'est étonnant, car je la connais à peine. » (Cas A–341)

« Je savais que ma mère l'avait déjà été dans une vie précédente. Mon père et moi étions jumeaux, c'est pourquoi nous sommes très proches. J'ai vu que beaucoup de mes relations présentes venaient de relations antérieures. Je suis contente d'être la sœur de mon frère plutôt que sa femme. » (Cas A–513)

« Ma mère avait été un de mes amants dans une autre vie, alors que j'étais une femme. Elle était plus grande et avait les cheveux bruns. J'ai vu mon père jeune homme, mais je ne sais pas dans quelle vie antérieure. » (Cas A–155)

« Je ne connaissais pas ma mère mais je connaissais mon père. Il me semble que je n'étais pas d'accord avec son choix d'une nouvelle épouse jusqu'à ce qu'il m'explique combien elle avait besoin de nous. » (Cas A–431)

« Ce fut une étrange expérience. Quelqu'un du nom de Louis voulait venir avec moi et ce, contre l'avis des anciens. Mais, ensemble, il nous semblait que nous pouvions changer le monde. Louis était dans le fœtus avec moi mais il dut quitter l'utérus car il avait des choses importantes à terminer. Je suis donc resté seul et je savais que Louis m'avait quitté. Lorsque je suis né, je ne voulus plus être proche de personne. Sans Louis j'étais perdu dans un monde d'étrangers. Je savais pourtant que son esprit m'aiderait. » (Cas A–588)

« Je me suis rendu compte qu'au cours d'une vie précédente, ma mère m'avait tuée ainsi que mon père. Ni elle ni mon père ne s'en souviennent, je l'ai vu au cours de cette séance. Je me sens libérée d'avoir fait cette découverte. » (Cas A–589)

« Il me semble que j'ai connu ma mère auparavant, mais ce n'est pas très clair. Ce qui était clair, par contre, c'est que je suis revenue pour une de mes tantes. J'avais besoin d'être près de cette tante que j'ai connue dans une vie antérieure. » (Cas A–1)

« J'avais l'impression que j'allais vivre avec tous ceux qui me conseillaient. Mon frère était un ami. Et j'avais une amie du nom de Jeanne. Je voulais qu'elle vienne avec moi, mais elle m'a dit : " Non, pas cette fois. " Je connaissais mes futurs parents. Je sais que le premier enfant de ma fille sera un vieil ami à moi. » (Cas A–191)

« Je me suis rendu compte que c'est mon frère d'une vie antérieure qui m'a aidée à choisir de vivre et qu'il est maintenant mon petit ami. Ma sœur était aussi avec moi entre deux vies. Je connaissais mon père. C'était extraordinaire de reconnaître des gens dans cette période de l'entre deux vies! » (Cas A–354)

« Ma mère était une religieuse dans une autre vie, et mon père, un joueur professionnel. Je les ai choisis pour connaître des gens qui sont à l'opposé l'un de l'autre et pour les aider à s'acheminer vers leur destin. Le but de ma vie était de rassembler des éléments de mes vies antérieures. » (Cas A–361)

« Je connaissais déjà ma mère car nous étions ensemble au couvent dans les années 1200. J'ai vu un de mes meilleurs amis jeune homme en Russie, là où je l'ai connu. » (Cas B–71)

« Je ne vois pas ma mère, mais il me semble avoir connu mon père dans une autre vie. Nous avons encore du chemin à parcourir pour améliorer nos relations. » (Cas A–379)

« J'ai connu ma mère auparavant, lorsque nous étions deux hommes et qu'elle était mon ami. Je connaissais mon père mais je ne l'aimais pas beaucoup. J'étais très proche de mon fils dans une autre vie. C'est drôle, il m'a semblé tout à coup que j'avais connu ma sœur entre deux vies. » (Cas A–511)

« Ma mère avait été ma sœur et mon père un de mes enfants. Je sais que je connaissais beaucoup de personnes de cette vie, mais je ne les ai pas encore toutes rencontrées. » (Cas A–143)

« Ma mère était un ami très proche dans une autre vie. Mon père était ma femme et je la traitais avec cruauté. » (Cas A–460)

« Je connaissais ma mère dans ma vie prénatale, mais je ne l'ai pas reconnue comme ayant vécu une vie antérieure avec moi. Mon père a été la cause d'une de mes morts. » (Cas A–424)

« Je crois que ma sœur était quelqu'un que je cherchais à sauver dans une vie précédente. Mon mari était un homme que je n'aimais pas et qui me faisait peur. » (Cas A–328)

« Ma mère était déjà ma mère vers 500 avant J.-C. et je ne l'aimais pas particulièrement. » (Cas A–398)

« Ma mère était ma sœur dans une autre vie et mon père était un de mes amants. Mon fils aîné était mon grand-père, le second était mon père et ma fille aînée était une amie. Mon autre fille était ma mère dans cette autre vie. » (Cas A–225)

« J'ai connu ma mère dans différentes autres vies où elle était une amie ou une sœur. Mon père était un de mes frères. Je savais que j'allais retrouver dans l'avenir les gens qui étaient avec moi pour m'aider à décider de naître. Certains devaient juste m'aider à franchir les étapes entre deux vies, sans se réincarner avec moi. » (Cas A–372)

En fait, 87 pour cent se souvenaient en quelles circonstances ils avaient déjà connu des gens faisant partie de leur vie actuelle. Leurs relations variaient selon chacun. Le plus intéressant est de constater que ces relations ne datent pas uniquement de vies antérieures mais aussi de la période entre deux vies. C'est ce qui m'étonna le plus ainsi que mes sujets. Ils racontèrent tous la même histoire. Nous revenons avec les mêmes âmes, mais dans des relations différentes. Nous ne revivons pas seulement avec les gens que nous aimons mais aussi avec ceux que nous haïssons et que nous craignons. C'est seulement lorsque nous ressentons de la compassion pour eux que nous sommes libérés d'eux et eux de nous!

6

A QUEL MOMENT LE FŒTUS
A-T-IL UNE CONSCIENCE?
PERÇOIT-IL LES SENTIMENTS DE SA MÈRE?

L'avortement est-il est un acte immoral? S'agit-il de la suppression d'une vie humaine? La question se repose au fur et à mesure qu'évoluent nos tabous. Il est certain que pour presque toutes les tribus humaines que nous connaissons, présentes et passées, ôter la vie à un de leurs propres membres est un acte tabou. A l'égard des autres tribus, on peut lever le tabou du meurtre. La guerre n'est acceptée que lorsque les victimes ne sont pas les membres de notre tribu. Il est encore plus tabou de tuer le fœtus ou le nouveau-né, car la tribu aime accueillir de nouveaux membres. Mais le fœtus a-t-il une conscience humaine? A-t-il une conscience dès le moment de sa conception; cette conscience, que l'on peut aussi appeler âme, ne vient-elle qu'au quatrième mois, lorsque, en donnant des coups de pied, il donne signe de vie?

J'ai posé à mes sujets cette question :

« Quand votre conscience a-t-elle rejoint le fœtus? » Les réponses ne manquent pas d'intérêt. Mes sujets étaient sans aucun doute davantage en faveur de l'avortement que la majorité de la population. Il y avait pourtant parmi eux des catholiques et des protestants. Ils furent tous d'accord sur un point : le fœtus était en dehors de leur conscience; leur entité consciente existait en dehors du fœtus. Ils racontèrent souvent s'être sentis comprimés et confinés dans un corps fœtal, et préférer la liberté de l'existence en dehors du corps. C'est souvent à contrecœur que la plupart d'entre eux ont fait entrer leur conscience dans les cellules de la conscience de l'enfant.

Des 750 cas analysés, 89 pour cent répondirent qu'ils ne faisaient pas partie du fœtus avant six mois de gestation. Et même alors, beaucoup d'entre eux se sentaient parfois dans et parfois hors du corps fœtal. Ils se sentaient une conscience adulte regardant le corps fœtal comme une forme de vie mal développée et incomplète.

Presque tous les sujets déclarèrent, peut-être grâce à la télépathie, avoir été conscients des émotions de leur mère, avant ou pendant leur naissance. 33 pour cent des sujets dirent ne pas avoir rejoint le fœtus avant le moment de la naissance :

« J'étais en dehors du fœtus, attendant le moment de la naissance pour pouvoir m'y intégrer. Je sentais que ma mère avait peur de l'accouchement et que sa perspective la rendait malheureuse. » (Cas A–525)

« Je me suis rattachée au fœtus vers la fin du neuvième mois. Je sentais que ma mère était indifférente à son accouchement. C'est drôle, je me suis alors rendu compte qu'elle parlait de problèmes financiers avec mon père. Je ne sais pas exactement où je me trouvais avant la naissance. Il me semble que j'étais en pleine confusion, et comme si on me grondait pour que je rejoigne le fœtus afin de naître. » (Cas A–498)

« Je me suis rattaché au fœtus juste avant la naissance. Quant à ma mère, j'avais le sentiment que sa grossesse l'ennuyait et je crois que c'est pour cela que je ne me suis pas intégré plus tôt au fœtus. » (Cas A–444)

« Je ne faisais pas vraiment partie du fœtus, je pouvais bouger et exister en dehors de lui. Je n'y suis vraiment entrée que dans la salle de travail. Je sentais les émotions de ma mère. Elle avait peur. J'ai aussi pris conscience de la présence du médecin et des infirmières. » (Cas A–426)

« Le développement du fœtus me faisait peur. Je voyais qu'il grossissait et approchait du moment de la naissance, mais je demeurais à l'extérieur. Je ne sais pas exactement ce que vous entendez par " rejoint ". J'ai senti que cet accouchement posait des problèmes à ma mère, et je crois qu'elle m'en a voulu de ne pas avoir eu un accouchement normal. » (Cas A–420)

« Je suis entré dans le fœtus au moment de la naissance. Ma mère ne voulait pas avoir un autre enfant mais je savais que tout cela était inconscient de sa part. » (Cas A–330)

« Je suis entrée un peu au début, pendant que le fœtus se développait, et je me suis échappée peu après parce qu'il était trop mou. Je ne suis revenue que juste avant la naissance. Quant aux émotions de ma mère, il me semble qu'elle n'était pas consciente de ma présence et que je suis née parce qu'elle était sous sédatifs. Ce que je sens d'elle, c'est de la tristesse et de la peur. Elle a peur d'être seule au moment de l'accouchement. » (Cas A–313)

« Je suis entrée dans le fœtus juste au début de l'accouchement. Je percevais les sentiments de ma mère et je savais combien elle voulait un enfant. Elle était endormie pendant ma naissance, et c'est pourquoi je me suis sentie détachée d'elle. » (Cas A–284)

« Lorsque vous avez demandé à quel moment je suis entré dans le fœtus, j'ai eu une image très claire, tout à coup, d'être la tête en bas et les épaules dans le sang. Je savais que ma mère était heureuse de ma naissance mais qu'elle se souciait des problèmes supplémentaires que j'allais poser. » (Cas A–238)

« Quand vous avez posé cette question, je me suis senti de nouveau flotter au-dessus de la table de travail. J'étais relié à ma mère par une corde. Je sentais que ma mère était heureuse de m'avoir et qu'elle désirait m'aimer. » (Cas A–224)

Ce sujet a une sœur jumelle : « Nous avons intégré le fœtus peu de temps avant la naissance. Nous nous disputions pour savoir quel corps prendre, le fœtus aux cheveux bruns ou celui aux cheveux blonds. Ma mère se sentit heureuse d'être sur le point d'être délivrée. » (Cas A–153)

« Je ne sais pas quand je suis entrée dans le fœtus. Je l'observais. Je sentais les émotions de ma mère. J'ai été conseillée jusqu'au moment où je suis entrée dans le fœtus. » (Cas A–123)

« Je ne me suis rattachée au fœtus que lorsque j'ai entendu des voix (je pense que c'étaient celles de mes guides) me dire que la naissance allait être prématurée et me presser d'entrer dans ce fœtus de sept mois. Je sentis que ma mère était tout à fait effrayée. » (Cas A–98)

« Je me suis rattachée au fœtus juste avant la naissance. Ma mère était très émotive, et je le sentais aux battements de son cœur. » (Cas A–84)

« Je me suis demandé ce que votre question voulait dire. Je sentais comme une convergence de lumière vers laquelle mon moi s'est petit à petit dirigé et où il a été aspiré. Mes liens avec l'autre espace se sont faits de plus en plus lâches jusqu'à ce que je me retrouve dans ce monde. Je sentais les émotions de ma mère d'une façon générale, mais rien en particulier si ce n'est son énergie. » (Cas A–101)

« J'étais à la fois dans et hors du fœtus. J'y suis entré au bout de trois mois, mais je n'y suis pas resté. Ce qui m'intéressait surtout c'était de savoir à quoi ressemblaient mes futurs parents. Je sentais que ma mère était nerveuse. Elle voulait que je sois un être à part et avait tout arrangé pour ma venue. C'était drôle, je me rendais compte qu'elle était furieuse contre le médecin parce qu'il était en retard. » (Cas A–351)

« Je suis certaine de ne pas être entrée dans le fœtus avant la naissance. J'étais trop heureuse et trop occupée là où j'étais. Passer mon temps dans le fœtus ne m'intéressait pas. Ma mère était un peu résignée en même temps qu'heureuse et fière. C'était plutôt une chose qu'il fallait qu'elle fasse davantage qu'une chose qu'elle voulait faire. Cela lui était égal d'être enceinte. » (Cas A–490)

« Je me suis rattaché au fœtus alors qu'il était

presque complètement sorti, j'ai eu alors la sensation d'étouffer, j'avais mal et peur. Ma mère était effrayée et avait des sentiments très ambivalents envers sa maternité. » (Cas A–489)

« Je suis venue dans le fœtus tout de suite avant la naissance et j'ai pu la vivre entièrement. Ma mère était effrayée et elle tremblait. Elle n'osait rien dire à mon père ou au médecin. Je ne voulais me rattacher au fœtus qu'au tout dernier moment, mais lorsque j'ai senti la frayeur de ma mère, j'ai pensé qu'il fallait que je sois là pour l'aider. » (Cas A–393)

« Quand vous avez parlé du fœtus, je me suis rendu compte que je le regardais. J'y suis entré avant la naissance. A ce moment-là, j'ai senti que j'étouffais, puis je me suis à demi étranglé avec le cordon ombilical à la naissance. » (Cas A–487)

« Je retardais autant que possible mon entrée dans le fœtus, et je ne l'ai fait qu'au début des contractions. Je percevais les sensations de ma mère : elles venaient de son estomac et me faisaient vibrer. » (Cas B–63)

« Je me suis rattachée au fœtus juste avant la naissance; je l'ai ensuite quitté au cours de l'accouchement pour le regagner lors de la première respiration. Je sais que ma mère pleurait beaucoup et qu'elle ne me voulait pas vraiment. » (Cas A–486)

Parmi les sujets qui ont répondu aux questions concernant le fœtus, 20 pour cent dirent être restés à l'extérieur, sans spécifier s'ils avaient rejoint le fœtus juste avant la naissance. Ce sont les mêmes sujets qui ne voulaient pas vraiment naître :

« Je n'étais pas dans le fœtus mais je me sentais très proche de ma mère. Je sentais qu'elle m'aimait et qu'elle me voulait. » (Cas A–541)

« Quand vous avez parlé de rattachement au fœtus, je me suis vu tourner autour. Quant à ma mère, elle avait très peur. » (Cas A–404)

« J'observais le fœtus puis, à un moment, j'ai senti une pulsation autour de mon corps. Je ne sais pas si c'était parce que j'étais dans le fœtus, ce n'était qu'une sensation. Je sentais les émotions de ma mère. Elle était effrayée et elle regrettait. » (Cas A–390)

« J'étais hors du fœtus, et je voyais que la naissance posait un problème car le fœtus se présentait par le siège. Je ne suis donc venu qu'au tout dernier moment. Ma mère avait très peur. » (Cas A–366)

« Je voyais le fœtus mais je n'étais pas dedans. Je le voyais courbé, tenant le cordon ombilical. Moi j'étais en dehors, pensant au but de cette vie. Ma mère avait des sentiments ambivalents à mon égard. Elle ne poussait pas assez fort au moment de l'expulsion. » (Cas A–324)

« Je n'étais pas attaché au fœtus, mais j'étais autour de ma mère; je n'ai rien su de ses émotions, mais je l'ai vue enceinte. » (Cas A–252)

« Quand vous avez demandé quand je m'étais rattachée au fœtus, j'ai senti que ma liberté de mouvement était restreinte à un certain diamètre autour de ma mère, et la distance s'amenuisait au fur et à mesure qu'approchait la naissance. Quant aux sentiments de ma mère, je sentais qu'elle était pressée de me pousser hors d'elle. Je me suis sentie rejetée. » (Cas A–170)

« Il me semble que je restais autour du fœtus, le

regardant, l'admirant, et voulant le rejoindre, mais je n'en ai rien fait avant la naissance. Les émotions de ma mère étaient plutôt négatives. Elle n'était pas heureuse et n'acceptait pas cette situation. » (Cas A–206)

« Je n'étais pas du tout attaché au fœtus. J'étais à l'extérieur. Je l'aimais bien et je sentais que je devais le protéger. Je ne sais rien des émotions de ma mère. » (Cas A–385)

« J'observais le fœtus de loin mais je n'y suis pas entrée. J'essayais en outre de ne pas ressentir les émotions de ma mère et j'y suis parvenue. » (Cas A–293)

« J'étais en dehors du fœtus. Je regardais avec étonnement cette forme se développer, sachant qu'elle allait devenir la mienne. Je la protégeais comme je protégeais ma mère de mon énergie. Je sentais ses émotions : colère, détresse, froideur et une grande peur. » (Cas A–348)

« Je n'étais pas dans le fœtus mais je me sentais à côté de lui. Je savais que ma mère avait très peur et qu'elle était faible. Il me semblait que cela signifiait que j'allais avoir peur dans ma vie future. » (Cas A–482)

« Je regardais le fœtus comme si j'attendais une nouvelle habitation. Je ne savais rien des émotions de ma mère, il me semblait que je voulais surtout rester détaché de tout. » (Cas A–382)

« Je n'étais pas dans le fœtus mais devant ma mère, près de son utérus mais pas dans son corps. Je sentais qu'elle était heureuse et emballée. » (Cas A–372)

« Je n'étais pas rattaché au fœtus, et je me sentais en dehors de tout. Ma mère souffrait, dans un mélange de joie, de peine et de peur. » (Cas A–585)

D'autres, 19 pour cent, se décrivirent comme alternativement à l'intérieur et à l'extérieur du fœtus avant la naissance :

« J'étais le plus souvent hors du fœtus. A un moment donné, j'ai vu une coupe de ma mère avec le fœtus en elle. Puis j'ai vu la chambre et le lit où était ma mère à ma naissance. Je ne savais pas que j'avais pris conscience de toute la pièce avec ses meubles. Ma mère était fatiguée d'attendre et en avait assez de devoir rester au lit pour éviter une fausse couche. Sa grossesse était problématique, mais comme c'était la deuxième fois, elle était plus détendue. » (Cas A–520)

« Il me semble que j'étais dans et hors du fœtus pour observer son développement. Après la naissance, je restais un peu plus dans le bébé mais je pouvais encore le quitter. Ma mère était très inquiète pour ma santé avant et pendant ma naissance. » (Cas A–510)

« Je ne m'intéressais que de temps en temps à la vie à l'intérieur du fœtus. Je préférais rester à l'extérieur. La seule chose que je percevais de ma mère était une grande fatigue. » (Cas A–472)

« Il me semblait que je pouvais à la fois observer et être dans le fœtus. Je ne sais pas pourquoi, mais lorsque j'étais dans le fœtus, j'avais mal au côté droit de la poitrine! Je ne me souviens pas des émotions de ma mère. » (Cas A–471)

« J'étais par intermittence à l'intérieur et hors du fœtus. Je sentais qu'il n'était pas prudent de rester à l'extérieur au moment de la naissance mais je me suis tout de même détachée un peu du fœtus et je suis revenue juste après être sortie du vagin. Il me semblait que ma mère s'efforçait de ne pas éprouver d'émotions. » (Cas A–356)

« Oui, je voyais le fœtus, et je m'en occupais; je faisais attention à lui. J'étais souvent à l'intérieur, mais pas tout le temps. Je n'y suis vraiment entrée qu'après la naissance. Je percevais très clairement les émotions de ma mère. Elle était un peu triste et en colère parce que mon père ne s'occupait pas assez d'elle. Mais elle était tout de même très heureuse. » (Cas A–327)

« Mon attachement au fœtus était très ténu. A la naissance, j'étais à la fois à l'extérieur et à l'intérieur. Je sentais que ma mère souffrait lorsque j'étais hors du fœtus, mais pas lorsque j'étais dedans. » (Cas A–257)

« Je me rends compte que j'étais dehors et dedans, mais que je n'étais pas vraiment attaché. Je me sentais plus attaché avant qu'au moment même de la naissance. Je savais que ma mère ne voulait pas vraiment d'un enfant. » (Cas A–178)

« Je suis un peu entrée dans le fœtus, mais je suis très vite ressortie pour retrouver l'autre espace. J'entrais et je sortais. Je ne sentais pas vraiment les émotions de ma mère. » (Cas A–524)

« Il me semble que j'entrais et sortais. Je regardais le fœtus avec compassion et impatience. Je sentais que ma mère m'adorait et il me semblait que nous étions de vieux amis. » (Cas B–14)

« J'entrais et je sortais du fœtus, mais il ne m'intéressait pas beaucoup. Il me semble que je voyais tout en étant dans le fœtus, et aussi hors de lui. Je voyais d'en bas ou d'en haut, mais je ne sais pas à quel moment exactement j'y suis vraiment entré. » (Cas B–94)

« J'allais et venais, comme si je n'étais pas sûre de ce que je voulais faire. Je savais que ma mère souffrait beaucoup. Elle ne me voulait pas. J'étais prématuré et pourtant moi non plus je ne voulais pas naître. » (Cas A–261)

« Quand vous avez posé cette question, j'ai eu une impression de chaleur et puis je me suis vue en dehors du fœtus et j'ai vu ma mère juste avant qu'elle n'accouche. Je ne percevais pas ses sentiments. » (Cas A–81)

« J'ai commencé à entrer et sortir du fœtus vers cinq mois, mais je n'étais pas vraiment attachée. Ma mère éprouvait surtout un sentiment d'inconfort. » (Cas B–23)

« C'est intéressant que vous ayez mentionné l'attachement au fœtus. Il me semblait que j'y étais attachée lorsque j'étais dans l'utérus, et pourtant je n'étais pas vraiment à l'intérieur. J'entrais et je sortais. Tout autour de moi était brillant, et j'éprouvais des sensations physiques. Les sentiments de ma mère étaient affectueux et elle se sentait en sécurité. » (Cas A–17)

« Vers environ cinq mois, je commençai à entrer et sortir. La plupart du temps, j'étais à l'extérieur, regardant ce qui se passait. Je ne sentais pas les impressions de ma mère. » (Cas A–21)

« Il ne me semble pas avoir été attachée réellement au fœtus. J'attendais avec impatience qu'il grossisse, j'allais et venais jusqu'avant la naissance. Je m'y suis glissée à environ huit mois. Quant à ma mère, elle était excitée et anxieuse parce que c'était son premier enfant. » (Cas A–194)

« Il me semble que j'allais et venais. Je ne me suis identifiée au fœtus qu'après la naissance. Il me semble plutôt que j'allais voir si tout se passait bien. Je sentais que ma mère était soucieuse. » (Cas A–493)

« J'allais et venais dans le fœtus dès que la forme en est devenue humaine. Je sentais que ma mère pensait qu'elle devait aller au bout de ce qu'elle avait commencé parce que c'était son devoir. » (Cas A–154)

« Vous avez demandé à quel moment je suis entrée dans le fœtus, mais il me semble plutôt que j'allais régulièrement voir si tout se passait bien. Il me semble que c'était pour en faire un être humain supérieur. J'ai la sensation étrange que ma mère a mené à bien son rôle " humanoïde ". Je savais qu'elle avait travaillé avec moi sur un projet précédent, mais elle n'était pas consciente de ce qui se passait réellement avec le fœtus. » (Cas A–195)

« Je suis venue dans le fœtus juste avant la naissance car il avait des problèmes et je devais l'aider. Quant à ma mère, je sentais qu'elle savait que je n'allais pas mourir et que je m'en sortirais. (Je suis née trois mois avant terme et j'ai passé huit semaines en couveuse.) » (Cas A–476)

« J'étais soit dans soit hors du fœtus; c'était une sorte de jeu. Je sentais le fœtus sur un plan à la fois émotionnel et physique. Je me rappelle les impressions de ma mère juste avant la naissance : " Oh, mon Dieu, c'est maintenant! " » (Cas A–377)

« Je suis entré et sorti du fœtus; une fois, je suis resté attaché pendant plusieurs mois. J'avais un sentiment bizarre à l'égard de ma mère. J'ai pris alors conscience de ses organes et cela semblait étrangement familier. » (Cas B–88)

« J'étais à l'intérieur et à l'extérieur du fœtus, mais quand j'étais dedans, je n'avais plus conscience de mon moi. Je sens que ma mère était pleine de frayeur et de haine. » (Cas A–156)

« J'ai été, par moments, rattaché au fœtus, mais la plupart du temps, j'étais en dehors. Je le voyais se développer et j'avais l'impression que j'influençais son développement. Quant à ma mère, je sentais qu'elle avait hâte que je sorte. » (Cas A–73)

« J'étais à l'intérieur et en dehors du fœtus. Lorsque j'étais dans ma mère, j'avais envie de jouer avec elle. Nous communiquions sur un plan purement émotif. Juste avant la naissance, elle était pleine d'amour. Au cours de l'accouchement, elle faisait tout son possible mais elle se sentait seule et effrayée. » (Cas A–462)

« J'étais dans et hors du fœtus juste avant la naissance. Je percevais les sentiments de ma mère et je savais qu'elle avait peur. Elle avait mal et était en colère. » (Cas A–143)

« J'étais à l'intérieur et à l'extérieur du fœtus. Je contrôlais mieux les choses de l'intérieur, parce que j'avais décidé d'être dans cette famille. Je pensais que je pouvais faire en sorte qu'ils me désirent aussi. Je sentais que ma mère pensait : " Dépêche-toi, je suis faible et fatiguée. " » (Cas A–191)

« J'entrais et je sortais du fœtus; la plupart du temps, je rôdais autour, mais j'étais rarement dedans. Ma mère était si émotive et effrayée qu'elle me mettait en colère. Son émotion excessive était un frein plutôt qu'une aide à ma naissance. » (Cas A–513)

« J'étais à l'intérieur et à l'extérieur du fœtus, et c'étaient deux mondes différents. Je n'étais pas complètement attaché à lui. Je percevais totalement les sentiments de ma mère, surtout avant la naissance. » (Cas A–102)

« J'étais sans arrêt en " aller-retour " dans le fœtus, et je le regardais grandir. Quand vous avez mentionné les émotions de ma mère, tout ce que j'ai ressenti, c'était une très forte migraine. » (Cas A–246)

« Je sortais et j'entrais dans le fœtus avant la naissance. Au même moment, je sentis que quelque chose n'allait pas chez ma mère. Elle n'était plus vraiment présente. Je pensais : Je ferais mieux de sortir de là le plus vite possible. » (Cas A–356)

5 pour cent des sujets dirent ne pas s'être rattachés au fœtus même au moment de la naissance, et pouvoir, après celle-ci, quitter la conscience fœtale dès qu'ils le désiraient :

« Je rôdais autour du fœtus pendant sa naissance. Je n'étais pas à l'intérieur. Il me fallut trois jours pour naître, et ce fut très difficile pour ma mère. » (Cas A–505)

« J'étais rattaché au fœtus de façon très ténue. Je n'ai regagné le corps que bien après la naissance. Il me semble que j'aurais pu connaître les émotions de ma mère si j'avais voulu, mais ça ne m'intéressait pas. » (Cas A–483)

« Il me semble que je veillais à l'évolution du fœtus, de l'intérieur et de l'extérieur. J'avais beaucoup de tendresse pour lui. Même après la naissance, je n'étais pas vraiment dans le corps. Je ne me suis attaché au corps qu'au moment du premier cri. » (Cas A–461)

« J'étais surtout en dehors du fœtus. Je sortais encore jusqu'à l'âge de un an. Je sentais que ma mère était nerveuse avant et lors de la naissance. » (Cas A–410)

« Je ne me suis rattaché au fœtus qu'après la naissance. Je percevais les sentiments de ma mère. C'était un mélange de bonheur et de résignation à la douleur et à une mort possible (ma mère avait trente-trois ans et j'étais son premier et seul enfant). » (Cas A–234)

« Quand je vous ai entendu parler de rattache-ment au fœtus, il m'est revenu à l'esprit que je m'étais presque échappé. J'ai cessé de respirer, on m'a ranimé et alors je suis revenu dans le corps. Je sentais que ma mère pensait avoir un droit de possession sur moi. » (Cas A–167)

« Je me suis rattaché au fœtus juste après ma naissance, mais je n'ai pas aimé cela. Je trouvais l'environnement hostile. Je ne suis revenu que quelques semaines plus tard. Je ne percevais pas les sentiments de ma mère. » (Cas B–80)

« Vers la fin de la gestation, je me suis rattachée de plus en plus souvent au fœtus, puis j'y suis vraiment entrée juste après la naissance. Mais même après, il m'arrivait de partir. Je sentais que ma mère ne savait pas bien quoi faire, qu'elle per-dait un peu le contrôle de la situation. » (Cas A–441)

« Je ne me suis pas rattachée au fœtus. Je ne suis entrée que le sixième jour de la vie physique. Je sentais que ma mère savait qu'elle allait mourir deux jours plus tard. Je voyais cela d'un autre espace. » (Cas A–383)

« Je suis entré dans le fœtus, pour un court moment, juste après la naissance. J'observais de loin. Je sentais que ma mère était en colère. » (Cas A–437)

12 pour cent de mes sujets dirent être entrés dans le fœtus au bout de six mois de gestation :

« Ma mère avait été ma fille dans une vie passée. J'avais envie de lui envoyer de l'énergie avant d'entrer dans son corps. Je me sentais très concernée par la création du bébé. Je voulais que tout soit parfait. Je n'y suis entrée qu'après que le fœtus a été bien formé, vers le dernier mois de la grossesse. Je sentais que ma mère voulait me mettre au monde, mais elle était un peu nerveuse et inquiète. » (Cas A–492)

« Je suis entrée dans le fœtus vers huit ou neuf mois. Ma conscience s'est alors rattachée à celle du fœtus. Je savais que ma mère était heureuse et impatiente, mais ensuite elle était sous anesthésie et j'ai perdu ainsi toute connaissance de ses sentiments. » (Cas A–400)

« J'entrai dans le fœtus un peu avant la naissance. C'était chaud et réconfortant. Je n'attendais pas de naître avec impatience. Quand vous avez parlé des émotions de ma mère, j'ai pris conscience que nous nous préparions à nous affronter. » (Cas A–370)

« Il me semble que j'étais rattachée au fœtus après six mois de gestation. J'en voulais à ma mère mais je me sentais tout de même en sécurité avec elle malgré ses grognements. » (Cas A–309)

« Je ne sais pas vraiment quand ma conscience a rejoint celle du fœtus, mais je sais qu'il faisait noir et que j'avais hâte de sortir. Ma mère se disputait avec mon père mais je sentais sa gentillesse et son amour. » (Cas A–211)

« Il me semble être entrée dans le fœtus environ un mois avant la naissance. Je savais qu'il me restait peu de temps avant de naître. Avant ma naissance, je percevais les émotions de ma mère. C'était plus facile parce que nous avions été amies dans une autre vie. » (Cas A–231)

« Il me semble m'être rattaché au fœtus, ou tout au moins en avoir pris conscience, vers le sixième mois de gestation. Je ne savais rien des sentiments de ma mère au moment de la naissance, mais auparavant, je sentais son mécontentement. » (Cas A–549)

« Il me semble avoir été à l'extérieur du fœtus jusqu'à six ou huit mois, et après, j'entrais et je sortais. Ma mère était très nerveuse juste avant la naissance, sa nervosité a alors atteint son paroxysme, puis elle s'est détendue. » (Cas A–345)

« Il me semble avoir rejoint le fœtus vers six mois. Avant cela, il était comme une plante. Ma mère semblait être heureuse. » (Cas B–81)

« Je me suis rattachée au fœtus vers le sixième mois de la gestation. Je percevais les sentiments de ma mère et je savais qu'elle avait peur de crier pendant l'accouchement. » (Cas A–36)

« J'ai eu conscience d'être dans le fœtus vers huit mois. Je savais que ma mère voulait une fille. Je sentais aussi qu'elle réprimait certains sentiments vis-à-vis de mon père. » (Cas A–413)

« Je me suis rattachée au fœtus lorsqu'il a été complètement formé, vers les trois derniers mois. Je sentais la chaleur du corps de ma mère puis j'ai senti sa peur de l'accouchement. » (Cas B–19)

« Je me suis rattachée au fœtus vers la fin de la grossesse. Je sentais la nervosité de ma mère et sa tristesse, comme si elle m'en voulait d'avoir à me porter, et qu'elle avait peur d'accoucher. » (Cas A–22)

« Je me suis rattaché au fœtus vers la seconde moitié de la grossesse. Je sentais que ma mère tout d'abord avait très peur, puis qu'elle a accepté ce qui allait lui arriver. Je pouvais sentir les battements de deux cœurs tout au long de l'expérience de la naissance. » (Cas A–200)

« Je suis entrée dans le fœtus vers la fin de la gestation. J'aimais bien être là, c'était chaud et je me sentais en sécurité. Je ne sais pas grand-chose des sentiments de ma mère; elle ne me désirait pas. Elle avait essayé d'avorter une fois et était furieuse de ma naissance parce qu'elle voulait divorcer de mon père. Je réalise maintenant que la part de *karma* que je dois accomplir dans cette vie est d'être consciente des sentiments de ma mère à mon égard et de l'aimer quand même. J'aurais pu me mettre à pleurer tout de suite après ma naissance! » (Cas A–242)

« Il me semble m'être rattachée au fœtus vers sept mois, mais pas d'une façon très régulière. Je sentais que ma mère en voulait à mon père. » (Cas A–287)

Seulement 11 pour cent des sujets ayant répondu à cette question ont écrit avoir eu conscience d'avoir été dans le fœtus entre la conception et le sixième mois de la gestation. C'est un détail intéressant surtout lorsqu'on sait, comme mes sujets, que le premier coup de pied a lieu au cours du quatrième mois. En dépit de ce savoir objectif, seuls 11 pour cent ont perçu leur présence dans le fœtus au moment où arrivent ces premiers signes de vie :

« Il me semble m'être rattachée au fœtus bien après qu'il se fut formé, et je me sentais en sécurité, au chaud. Je sentais l'impatience de ma mère avant ma naissance. C'était comme un chatouillis qui m'était transmis. Je ne sais rien de ce qu'elle sentait à la naissance car elle était endormie. » (Cas A–375)

« Il me semble que j'ai d'abord fait l'expérience des cellules du fœtus avant de faire celle du corps entier. Je sentais que ma mère était très impatiente lorsque l'accouchement a commencé. » (Cas A–374)

« Il me semble m'être rattachée au moment de la conception, bien que j'aie été consciente que cette expérience de neuf mois allait être plutôt ennuyeuse et j'étais impatiente de naître. Je sentais ma mère anxieuse, nerveuse et effrayée. » (Cas A–305)

« Il me semble être entrée tôt dans le fœtus, vers cinq mois. Ma mère semblait en pleine crise d'hystérie et moi aussi je pleurais avant et pendant la naissance. » (Cas A–269)

« Oui, je suis entrée dans le fœtus, mais je ne sais pas quand. Je me sentais au chaud et j'entendais un battement de cœur. » (Cas A–118)

« Il me semble être entrée très tôt, alors que les doigts du fœtus étaient encore palmés. J'ai dû attendre bien longtemps là-dedans! Ma mère était heureuse et paisible, quoique un peu effrayée au début des contractions. » (Cas A–208)

« Il me semble, quand je vous entends parler

d'entrer dans le fœtus, que j'étais un poisson, car le fœtus tournait en rond dans l'utérus. Je jouais. Ma mère était calme et heureuse. » (Cas A-339)

« J'ai pris conscience du fœtus trois ou quatre mois après la conception. J'entendais alors son cœur. Je percevais aussi les sensations de ma mère. » (Cas A-576)

« Je suis entré dans le fœtus au moment où il avait des doigts palmés, avant que les yeux ne soient développés. Je savais que ma mère était anxieuse et en colère. » (Cas B-37)

« Il me semble m'être rattachée au fœtus au moment de la conception. Je sentais que ma mère voulait compenser la mort de mon frère. » (Cas A-310)

« Il me semble que j'étais autour du fœtus tant qu'il n'avait pas de rythme cardiaque, puis j'y suis entrée. Ma mère était heureuse, soulagée et anxieuse à la fois au moment de la naissance. J'ai revu très clairement sous hypnose la période de mon rattachement au fœtus. » (Cas B-69)

« Il me semble avoir pris conscience du fœtus au moment de la conception. Ma mère souffrait, mais elle était tout de même heureuse. » (Cas A-213)

« Il me semble m'être rattaché au fœtus vers trois mois. J'avais la sensation vivace que ma mère ne me voulait pas et ne m'aimait pas. » (Cas B-70)

« Quand vous avez posé cette question, il m'est venu à l'esprit que j'étais entré dans le fœtus le premier jour de la troisième semaine. Ma mère avait des sentiments ambivalents. Elle me voulait très fort mais je sentais qu'elle craignait de ne pas être à la hauteur. » (Cas B-5)

« Il me semble m'être rattachée au fœtus à environ huit semaines. Je sentais une grande affinité et une grande complicité entre ma mère et moi. Mais je n'ai aucun souvenir précis de ses propres sentiments. » (Cas A-91)

5 pour cent des cas ne pouvaient dire exactement quand ils avaient eu conscience d'être dans le fœtus. Je vous livre quelques-uns de ces comptes rendus :

« Lorsque vous avez demandé à quel moment j'ai rejoint le fœtus, j'ai eu une sensation de flottement et de chaleur que je ne peux pas décrire. Je ne sais rien des sentiments de ma mère. » (Cas A-523)

« Quand vous avez posé cette question, il m'est revenu clairement que j'ai quitté le fœtus au moment de la naissance, à cause des drogues et des anesthésiants. Je sentais l'inquiétude de ma mère. » (Cas A-522)

« Être rattaché au fœtus, c'était comme flotter, c'est une impression très agréable. Ma mère était effrayée et peu sûre d'elle. Je suis entrée assez rapidement pour l'aider à se faire moins de souci. » (Cas A-422)

« Je me sentais à l'abri dans le fœtus et je ne voulais pas sortir. Je sentais la peur de ma mère. » (Cas A-401)

« Il me semble que j'étais dans les mains du fœtus. C'était mon poste d'observation. Ma mère était un peu nerveuse mais se contrôlait parfaitement; elle avait confiance. » (Cas A-255)

« Je voulais demeurer dans le fœtus et le placenta. Je m'accrochais à lui. Ma mère était angoissée. » (Cas A-168)

« Mon rattachement au fœtus était une expérience intéressante. C'était une attente, une anticipation qui demandait de plus en plus d'énergie et de rigueur. Ma mère mettait en doute ses futures qualités maternelles. Elle était pleine d'appréhension et de culpabilité. » (Cas A–127)

« Il me semble que ma mère et moi étions la même conscience avant que celle-ci ne se divise et que j'entre dans le fœtus. Moi, je suis restée la même, c'est elle qui a changé. Je me sentais contrôler parfaitement la situation, elle, se sentait perdue. C'était très gênant. » (Cas A–117)

« Le rattachement au fœtus semble avoir eu lieu plus tôt que je ne le pensais. Je savais que ma mère avait voulu se suicider quand elle s'est rendu compte qu'elle était enceinte de moi, puis elle était arrivée à un stade de résignation qui ne lui était pas trop désagréable. Elle avait pourtant peur. » (Cas A–140)

« Quand vous avez parlé de rattachement au fœtus, je me suis tout à coup senti dans une position inconfortable, avec des crampes. J'étais de retour en prison. Mes sensations sont négatives. J'ai vu sous hypnose que ma mère ne voulait pas de cette grossesse et que la confusion régnait dans son esprit. Elle était physiquement et émotionnellement traumatisée. » (Cas A–582)

« J'étais effectivement rattachée au fœtus, et je garde l'impression d'avoir été comme une crevette, une espèce de créature marine à un stade translucide. L'utérus était d'un rouge brillant, comme l'intérieur d'une fleur. » (Cas B–74)

« Il me semblait que le fœtus m'était tout à fait étranger avant que je naisse. Je sentais que ma mère avait peur et qu'elle hésitait. » (Cas A–315)

« Il me semble que mon rattachement au fœtus était presque avant la conception, et cela ressemblait fort à l'attachement à mon corps actuel. Je savais que ma mère attendait un garçon pour remplacer celui qu'elle avait perdu. » (Cas B–17)

« Je suis entrée dans le fœtus et j'ai d'abord vu mes orteils; ils étaient chauds, orange-rouge contre une paroi noire. Je ne percevais pas les sentiments de ma mère. » (Cas B–64)

« J'étais dans le fœtus, et j'ai eu l'impression d'être dans un tourbillon; ensuite, dans une position où j'étais engourdi. J'essayais de ne pas percevoir les sensations de ma mère. » (Cas A–99)

« Quand vous avez posé cette question, je me suis vue regarder le fœtus de l'extérieur; puis, y étant entrée, j'eus le sentiment qu'il n'y avait pas de retour en arrière possible. Je sentais que ma mère était heureuse. » (Cas A–593)

En résumé, 89 pour cent de mes sujets déclarèrent avoir eu le sentiment que leur conscience était séparée de celle du fœtus, et n'avoir eu aucune expérience à l'intérieur du fœtus avant les six premiers mois de gestation. La plupart d'entre eux n'ont pas connu le fœtus avant le moment précédant leur naissance. D'après les descriptions de leurs expériences situées entre la conception et le quatrième mois, on peut penser que beaucoup faisaient des allées et venues avec le fœtus. 86 pour cent des sujets percevaient les sentiments de leur mère, ses émotions et même ses pensées avant la naissance. Beaucoup d'entre eux dirent avoir été conscients de ses sentiments parce que, n'étant pas en permanence dans le fœtus, ils étaient autour d'elle. 14 pour cent ont déclaré ne pas avoir eu conscience des sentiments de leur mère, peut-être par un blocage dû à leur surprise d'avoir pu, sous l'hypnose, en prendre conscience.

Quelle information nouvelle peut-on tirer de cette étude en ce qui concerne le problème de l'avortement? L'impression qui ressort des 750 cas est que la naissance – et le fait d'avoir à vivre une autre vie – est davantage perçue comme un devoir que comme un plaisir. La conscience, ou âme, a apparemment le choix du fœtus dans lequel elle veut entrer. Si un fœtus est avorté, elle peut en choisir un autre. Dans certains cas, l'âme du fœtus est en contact étroit avec celle de la mère et peut ainsi influencer sa décision d'un éventuel avortement. Mon étude montre aussi qu'il est possible de quitter le fœtus ou le bébé pour retourner au stade de l'entre deux vies. Peut-être les morts infantiles soudaines sont-elles le désir d'une âme de ne pas aller plus loin dans la vie...

7

FRANCHIR UN GRAND PAS : LA NAISSANCE

Mes sujets racontèrent les expériences intéressantes qu'ils avaient vécues au moment où ils descendaient les voies génitales et émergeaient dans notre monde en prenant conscience de leur environnement. Je ne pus pourtant, à mon grand regret, classer ces expériences en statistiques. Chaque personne semblait avoir vécu sa propre expérience, à sa manière propre. La seule statistique que j'ai pu en déduire, c'est que 16 pour cent de mes sujets choisirent de ne pas revivre, sous hypnose, leur naissance. Il était inclus dans mes inductions qu'ils avaient le choix d'accepter ou de refuser. Ce qui signifie que la naissance fut vécue par 84 pour cent d'entre eux. Malgré mes paroles rassurantes, leur disant qu'ils ne ressentiraient aucune douleur, beaucoup firent l'expérience d'un certain malaise. Plusieurs dirent par la suite ne pas avoir réellement souffert, mais avoir ressenti sur certaines parties de leur corps ce qui semblait être les inconforts de la naissance.

Le plus impressionnant, dans ces comptes rendus, fut de constater quelle tristesse accompagnait la venue au monde. Bien que pour la plupart des sujets la naissance n'ait pas été une expérience physiquement traumatisante, elle était entourée d'un voile de tristesse. Au moins 10 pour cent se sentaient encore tristes à leur réveil, ou avaient des larmes sur les joues. Ce sentiment semblait les envahir au moment où ils quittaient l'utérus : voilà une découverte intéressante. Il semblerait que les régressions au stade de la naissance pratiquées pour libérer certaines peurs névrotiques, par la thérapie du « cri primal », ne se réfèrent pas tant à la naissance elle-même qu'à l'impression d'avoir été « attrapé » dans un corps physique, après la liberté connue entre les deux vies.

Beaucoup de sujets relatèrent que la multitude de sensations physiques les envahissant lors de la naissance était aussi déplaisante qu'inquiétante. Apparemment, l'environnement de l'âme dans l'« état entre deux vies » est totalement différent. Les sens physiques se révèlent avec une telle puissance à la naissance, que l'âme se sent comme noyée dans un flot de lumière, d'air froid, de sons. J'ai été surprise de lire que l'âme du nouveau-né se sent diminuée, coupée du monde qu'elle a connu auparavant. Vivre dans un corps, c'est être seul et sans lien. Peut-être naissons-nous pour apprendre à briser l'écran de nos sens et faire l'expérience de notre moi transcendant? Je vais laisser parler mes sujets. Je rapporte les résultats tels qu'ils me sont parvenus, pour que le lecteur voie la variété des expériences lorsque la naissance est revécue sous hypnose :

« J'ai revu le jour de ma naissance : c'était une journée chaude de juillet, trop chaude pour développer toute l'énergie dont j'avais besoin. Je fus expulsé bien que je voulusse attendre quelques jours. J'ai vu et senti les mains de mon père après ma naissance, et ressenti aussi la chaleur. Je ne pouvais pas respirer. Mon père semblait fou de joie; ses mains étaient expertes. Il m'a fait respirer. Je savais déjà, à ce moment-là, que j'étais née par une chaude journée et que c'était mon père qui m'avait délivrée. Je transpirais pendant l'expérience sous hypnose. » (Cas A–528)

« La naissance fut pour moi une bataille serrée, et dès que je suis sortie, j'ai vu une lumière crue qui me rendit folle, comme quand quelqu'un allume la pièce dans laquelle vous dormez. J'étais en colère dès ma naissance, et j'en voulais à tout le monde dans la salle d'accouchement sauf à ma mère. » (Cas A–526)

« Sortir de l'utérus est une drôle d'expérience. D'abord, je fus étonnée par la lumière; puis, j'eus froid. J'ai pleuré. On m'éloigna de ma mère et j'ai eu peur, puis je me rendis compte que c'était pour me donner des soins avant de me rendre à elle. J'étais consciente du fait que les gens autour de moi faisaient bien leur travail mais qu'ils ne pouvaient pas me comprendre. » (Cas A–371)

« Dans les voies génitales, j'étouffais. Je me sentais serré et pas à mon aise. Dès que j'ai pu sortir et respirer, ce fut merveilleux. Je sentais que les autres étaient heureux et soulagés. Des mains caressantes me touchaient et on me parlait à voix basse. Je sentais de l'amour autour de moi. Je ne sais pas si c'est parce que la famille était là. C'est mon grand-père qui a accouché ma mère. » (Cas A–16)

« L'expérience de la naissance a été celle de l'impatience. C'est là que j'ai réalisé que la tolérance allait être le but de cette vie le plus difficile à atteindre. Dès que je suis née, j'ai senti le froid et la lumière. J'avais peur de ce qui m'attendait. Je sentais que les médecins et les infirmières étaient froids et indifférents. Ils n'avaient aucune compassion pour la douleur et la frayeur de ma mère. Je me souviens que ça m'a beaucoup peinée. Mon âme est restée près de ma mère pendant tout ce temps. » (Cas A–485)

« L'expérience de la naissance fut effrayante. Tout bougeait, c'était comme un tremblement de terre. J'avais des sensations de claustrophobie et de suffocation. Dès que je suis sorti, j'ai été aveuglé par les lumières. Il y avait trop de choses autour de moi, je ne savais plus que ressentir, j'étais trop exposé, trop fragile. Je me sentais perdu dans l'espace. Je ne voyais pas les autres personnes présentes. La naissance fut pour moi une expérience terrifiante et physiquement douloureuse. J'avais le sentiment d'être perdu dans l'espace, sans rien pour me protéger ou me réconforter. » (Cas A–468)

« Au cours de la naissance, je sentais une forte pression sur ma tête, et je pensais : On va y arriver! Puis je me suis sentie triste, dès que je suis sortie. Je pleurais. Je ne sais pas si ces sentiments étaient vraiment les miens ou ceux des personnes qui m'entouraient et que j'aurais captés; j'étais très triste parce que j'étais seule et ma vie allait être si dure! » (Cas A–452)

« A la naissance, je suis passé d'un grand espace à un espace restreint. Ensuite, des lumières m'ont fait mal aux yeux. Je me sentais dans un endroit spacieux. J'étais calme mais ma mère était hystérique, réclamant l'attention des médecins et des infirmières. Je regardais la scène avec un froid détachement. » (Cas A–448)

« J'ai commencé mon expérience de la naissance avec le sentiment de m'être fait berner. Ils avaient commencé le travail et je n'étais pas prête. Tout de suite après, j'ai pensé : J'y suis, il faut recommencer encore une fois. Je sentais que mon frère aîné était jaloux, et que personne n'était content de mon sexe. C'était un bien mauvais début dans la vie. » (Cas A–446)

« Je ne pense pas avoir senti quoi que ce soit au cours de la naissance. J'avais le sentiment de sortir, mais je n'en avais pas la sensation physique. Quand j'ai descendu les voies génitales j'avais un goût de sang, et il me semble que les forceps m'avaient mis la tête de travers. J'avais un sacré mal de tête à cause des lumières. La salle de travail débordait d'activité à cause de ma bosse à la tête. » (Cas A–428)

« Je n'ai pas connu l'expérience de la naissance, parce que je me suis rattachée au moment où l'on sortait le bébé. Je sentais des crampes et je me demandais : Comment fait-on pour communiquer avec ces gens? J'ai vu toute la salle d'accouchement, mais je me sentais encore un peu à l'extérieur du bébé. » (Cas A–414)

« En naissant, je me sentais comprimée et à l'étroit, et j'étais dans l'obscurité. Puis j'ai vu des lumières vives et entendu des bruits violents. Dès cet instant, j'ai senti ce que pensaient les autres. Et j'étais surprise que ma mère ne me veuille pas. Les gens étaient indifférents. J'ai pensé : Ce sera un voyage solitaire. » (Cas A–406. – Ce sujet était impatient de vivre. Apparemment, après sa naissance, elle a regretté le choix qu'elle avait fait.)

« La naissance, c'est comme un tremblement de terre, tout bouge, cogne, explose. J'avais des sensations de panique, des impressions de vitesse. Tout de suite après la naissance, j'étais effrayé. Je percevais les sentiments des autres dans la salle de travail. Il y avait un docteur et deux infirmières. Le docteur semblait toujours étonné du miracle de la naissance mais pour les infirmières, c'était un travail comme un autre et elles étaient contentes que ce soit fini. Ma mère était soulagée, droguée, fatiguée. » (Cas A–500)

« La naissance est une expérience bizarre. J'ai senti ma tête écrasée vers le bas et mes bras poussés vers ma poitrine. Quand je suis sortie, la pièce était froide. J'étais furieuse d'être dans le froid et tenue sous les lumières loin de maman. J'avais conscience que mon père était nerveux et soucieux, mais il avait l'air ému et calme. Ma mère était nerveuse et bavarde, puis tout à coup s'apaisa. Le médecin semblait nonchalant mais gentil. » (Cas B–51)

« Quand vous avez demandé de parler de la naissance, j'ai eu l'impression d'une lutte, comme si j'avais attendu le dernier moment pour régler un combat, comme si j'espérais que cela n'allait pas arriver. Après la naissance, j'avais l'impression d'être dans un grand espace, mais je me sentais perdue et j'avais froid. » (Cas A–457. – Ce sujet ne pouvait pas se décider à naître.)

« Au cours de la naissance, j'ai commencé par avoir mal au dos. Je me sentais forcé à me plier et cela me mit en colère. Juste après la naissance, je trouvais les choses plutôt drôles. Je pensais que les gens dans la salle ne savaient rien et que moi je savais tout. » (Cas B–59)

« Ma naissance fut une expérience désagréable et je regrettais d'être en train de naître. J'aurais aimé changer d'avis. Mes premières impressions sensorielles furent pour découvrir la tristesse et le manque de chaleur autour de moi. Ma mère était très triste et mon père se sentait coupable. Tout ceci semblait être un bien déplaisant "voyage" pour accomplir quelque chose dans cette vie. » (Cas A–408)

« Au cours de l'expérience de la naissance, je me suis senti expulsé. Il me semblait que c'était une naissance très rapide, très aisée. Je pense que ma mère cherchait à s'en débarrasser le plus vite possible. Le placenta est sorti très vite. Après la naissance, tout le monde semblait s'agiter dans la pièce. Pourtant il n'y avait aucune complication. Je ne me sentais pas comme un nouveau-né. J'étais soulagé. Je voulais juste qu'on me nettoie et qu'on me couche. Je sentais que les autres avaient des gestes mécaniques et fonctionnels, mais j'étais soulagé d'être né. Je ne sais rien de la façon dont je suis réellement né parce qu'on ne m'en a jamais rien dit. » (Cas A–399)

« Au cours de la naissance, les contractions me poussaient. Je me sentais gluante. Après la naissance, j'ai pensé que j'étais fatiguée et pas vraiment heureuse. J'hésitais encore devant cette vie. J'étais importunée par les lumières vives et le bruit. » (Cas A–396)

« Il me semble que mon esprit surveillait tout ce qui se passait. J'ai regagné le corps au moment de la naissance. L'impression que j'ai eue après la naissance était que la tape du médecin n'était pas nécessaire. J'étais humilié. Il me semblait que ce dernier était un peu malade. » (Cas A–365)

« Au cours de la naissance, j'ai vu des raies de couleur. Après, je me suis sentie frigorifiée, comme le vent qui vous saisit en sortant d'une piscine. Les médecins étaient très efficaces mais semblaient s'étonner de ma taille. Au cours de l'hypnose, mon cœur s'est arrêté de battre un instant, mes bras et jambes sont devenus engourdis, comme s'ils étaient endormis. Et quel mal de tête! (Cas A–359)

« La naissance est un voyage intéressant. Je regardais la lumière bleutée qui était au bout du tunnel. Après la naissance, je me suis senti plus calme et j'ai eu une sensation de piqûre sur la peau. J'ai entendu quelqu'un dire : "Oh, quel beau garçon!" » (Cas A–342)

« Quand je pense à la naissance elle-même, j'ai l'impression d'être coincée parce que je ne voulais pas sortir. Après la naissance, mes expériences étaient totalement différentes. C'était un peu une période d'extase après une grande frayeur. Je sentais la présence des autres dans la salle d'accouchement. » (Cas A–340)

« Je n'ai rien senti de l'expérience de la naissance, mais, après, j'ai vu des lumières, beaucoup trop de lumières. Je savais que ma mère ne me voulait pas, et je fus néanmoins surpris et déçu de découvrir que c'était vrai. » (Cas A–335)

« Au cours de la naissance, j'ai senti de puissantes contractions, mais douces et glissantes. J'ai senti que j'avais une grosse bosse sur le front. Après, j'ai eu peur du bruit et de la lumière. Je sentais que ma mère avait honte de moi parce que je n'étais pas un joli bébé. » (Cas A–334)

« Il me semblait que j'étais poussé par des muscles puissants. On aurait dit que je ne pouvais plus attendre. Dès que je suis sorti, j'ai senti une séparation douloureuse, plus de chaleur, plus de protection. Les gens de la salle de travail étaient efficaces et gentils, mais je me sentais loin d'eux. » (Cas A–314)

« L'expérience de la naissance a été très agréable. Je suis descendue grâce à des contractions douces. Dès que je suis née, je me suis sentie très vulnérable. J'avais une grande confiance dans les autres. Il me semblait qu'autour de moi, les gens avaient une attitude purement mécanique, face à la naissance, et pourtant ils me touchaient avec autant de tendresse que possible. Nous n'avions pas les mêmes points de repère; les leurs me paraissaient plus grossiers. » (Cas A–189)

« Je me sentais dans un long tunnel, comme si je devais plonger. J'avais peur. Et dès que je fus née, j'eus encore peur parce que je me sentis seule et vulnérable. C'était plein de gens impersonnels et de lumières. Ma mère dormait (anesthésie?) et personne ne m'accueillit. J'ai senti un grand besoin d'amour. » (Cas A–190)

« Au cours de la naissance, je me sentais flotter dans un liquide blanc et bleu. J'ai franchi aisément le vagin mais quand je suis sorti, j'ai été effrayé du travail qu'il me restait à faire. Je voulais revenir. Je tremblais de froid, et aussi de peur. » (Cas A–286)

« La naissance n'a pas été déplaisante, c'était plutôt comme une course précipitée. Tout de suite après, j'ai senti les énergies qui m'entouraient, mais je n'ai pas vu d'images. J'ai senti la terreur et la résignation de ma mère et aussi le fait qu'elle ne savait pas comment me prendre. » (Cas A–240)

« L'expérience de la naissance s'est passée sans douleur, comme si on me pressait dans un tube, d'abord la tête puis les épaules et les pieds. Quand vous avez demandé quelles impressions j'ai eu dès que je suis né, j'ai senti mon estomac se contracter, avec une sorte de frisson. Il me semblait que les médecins ne pouvaient pas me répondre et qu'on me traitait comme un objet quelconque. » (Cas A–239)

« Dans l'utérus, je "flottais", présentant les pieds en premier pour ne pas descendre. Puis, on m'a bougée de façon à ce que je sorte la tête en premier. (Le médecin a utilisé des forceps.) Après la naissance, j'avais des nausées et je me sentais pleine de rancune. Le médecin n'aimait pas accoucher, et je le sentais. Ma mère, quoique encore tremblante, était soulagée. » (Cas A–235)

« J'avais du mal à respirer pendant la naissance, je sentais comme un étau autour de moi, surtout autour de ma tête. Quand je suis sortie, j'avais peur et je me sentais seule, il y avait trop d'espace autour de moi, je voulais retrouver la chaleur de ma mère. Ma mère était heureuse, mais les gens dans la pièce n'étaient pas très efficaces. » (Cas A–230)

« L'expérience de la naissance est restée très vivace. Je sentais la chaleur de l'utérus et les contractions qui me poussaient doucement. Je descendais, et puis il y eut cette lumière brillante, et mon visage s'est contracté. Je percevais vaguement les sentiments et les pensées des médecins et des infirmières. Il me semble maintenant qu'un enfant n'est pas censé faire l'expérience de ce genre de choses. Je crois que j'avais avec eux des liens télépathiques. » (Cas A–229)

« Ma naissance s'est faite par à-coups. La tête est venue d'abord, puis les épaules et le reste. J'entendis un homme rassurer ma mère en lui disant que celui-là allait vivre. Je ressentais des pulsations qui sont les mêmes que celles que je ressens lorsque je suis en méditation et que l'énergie me pénètre. Je ne savais pas qu'il s'agissait là de ma naissance. » (Cas A–223)

« Il me semble que je suis sortie très vite, comme si on m'avait tirée. Tout de suite après, j'ai été effrayée par les lumières. On me tenait d'une façon qui n'était guère affectueuse, avec une grande froideur. Ils faisaient tous leur travail et leurs intentions étaient bonnes. Ils ne se rendaient pourtant pas compte de leur insensibilité, et du fait que je comprenais ce qui passait. » (Cas A–221)

« Dans le canal, j'ai senti une pression, et j'étais un peu écrasé; puis heureux d'être sorti et de pouvoir détendre mon corps ridé. Je sentais mes mains, jusque-là restées fermées. Là au moins, je pouvais étendre les doigts. Le médecin semblait très attentif, me tenait en l'air tandis que l'infirmière m'inspectait. Je l'aimais bien. Je crois que ma mère était endormie. Je dois vous dire que pendant vos instructions, je me sens un peu en dehors de mon corps. » (Cas A–155)

« Je ne sais pas pour la naissance elle-même, mais juste après, je me suis senti éloigné de tout et seul... Je ne voulais pas qu'on me touche, je voulais sentir l'eau tiède à nouveau. Je percevais les sentiments des autres dans la pièce, mais à distance, et je ne voulais pas me sentir plus proche d'eux. J'étais dans un monde d'étrangers et perdu sans Louis. (Louis est un frère jumeau qui a quitté l'utérus plus tôt parce qu'il avait des choses à faire, mais son esprit continue de m'aider.) » (Cas A–588)

« La naissance n'a pas été douloureuse pour moi, je me sentais juste un peu à l'étroit. Lorsque je suis sortie, il faisait froid et je voulais que ma mère m'aime et me garde dans ses bras. Le temps m'a semblé long entre la naissance et le moment où elle m'a prise dans ses bras. On aurait dit que les gens dans la salle considéraient ce moment comme sans importance. » (Cas A–354)

« Au cours de la naissance, j'avais peur d'être coincée à l'intérieur et je voulais sortir. Après, j'ai senti le froid et je ne pouvais pas respirer. Je percevais les sentiments des autres dans la salle. Ils ne pensaient pas que j'allais vivre et je voulais leur dire que si. » (Cas A–361)

« La naissance a été une expérience très rapide, et j'étais dans le noir. Puis je n'ai eu que la sensation du froid et de la lumière, et le sentiment d'avoir perdu quelque chose. » (Cas A–424)

« La naissance fut pour moi une sensation d'étouffement et d'étroitesse. Après, je sentis qu'il y avait trop de lumière, que les sensations physiques étaient très déplaisantes. Après, je voyais des lumières vives et j'avais très mal. Le médecin et l'infirmière se faisaient du souci. Je ne savais pas pourquoi j'étais né. Je ne le voulais certainement pas. » (Cas A–429)

« La naissance fut pour moi une sensation d'étouffement et d'étroitesse. Après, je sentis qu'il y avait trop de lumière. Je savais que la sage-femme pensait que tout allait bien. J'étais née à la maison, et j'ai tout de suite vu la chambre, avec deux fenêtres, deux chaises et une table au bout du lit. Sur la table, un panier qui me faisait une sorte de lit de plumes. » (Cas A–193)

« Je suis entrée dans mon corps comme je sortais de ma mère. Je me sentais aveugle et sans défense. J'étais entre les mains de géants. J'avais froid. Les gens dans la pièce semblaient se dépêcher sans attacher grande importance à ce qui se passait. » (Cas A–147)

« Lorsque vous avez parlé de la naissance, j'ai ressenti physiquement quelque chose. Mon corps a tremblé, j'avais froid. » (Cas A–64)

« Il me semble qu'il m'a fallu réunir toute mon énergie pour naître. J'étais tout visqueux et entouré de muqueuse. Tout de suite après, j'ai eu très froid; ma bouche et ma gorge étaient obstruées. Les sensations arrivaient de partout. Il me semblait que le médecin n'était pas très sentimental! » (Cas A–149)

« Je ne me sentais pas bien pendant la naissance, j'étais à l'étroit et avais l'impression d'être poussé. Après, j'ai eu mal aux yeux, froid et me suis vu sans défense. Les gens se réjouissaient dans la pièce. Je voyais des sortes de tuyaux orange et translucides dans le corps du fœtus. C'était comme des nœuds transparents. Je devais passer entre ces obstacles pour naître. Ils étaient flexibles et ils m'enserraient, comme je sortais. » (Cas A–152)

« J'ai très bien vécu l'expérience de la naissance, mais après, je ne pouvais plus respirer. Je me suis toujours senti la gorge serrée à cause de cela. J'ai failli mourir à la naissance. On n'a pas très bien su pourquoi, à cause d'une piqûre de morphine ou du cordon autour de mon cou. Je sentais les autres inquiets de l'état du bébé. » (Cas A–124)

« J'ai vécu l'expérience de la naissance comme si c'était mon corps actuel qui descendait de l'utérus et se pliait un peu pour sortir. Après la naissance, j'étais en l'air, en face de ma mère, mais je ne la voyais pas vraiment. J'étais très heureuse mais aussi en colère. Je ne sais plus pourquoi j'étais en colère. » (Cas A–108)

« En entrant dans ce monde, je pouvais sentir la chaleur sur la partie de mon corps qui n'était pas encore dehors, et le froid sur ma tête et mes épaules déjà sorties. Je me sentais fragile mais en même temps heureux. Il me semblait que les gens qui avaient pris part à cet accouchement étaient soulagés, comme s'ils s'étaient sortis d'une difficulté. Je savais que tout irait bien. » (Cas A–266)

« Tout ce que j'ai pensé de mon expérience de la naissance, c'est : Pourquoi ne suis-je pas née dans une fleur? J'avais l'impression, en naissant, de tomber au mauvais endroit. Tout le monde voulait un garçon et j'étais la cinquième fille. » (Cas A–42)

« Descendre de l'utérus fut pour moi une expérience très agréable, et rapide. Après la naissance, j'ai vu la lumière et il y eut un grand frisson ou un soupir. Les gens de la salle d'accouchement étaient très affairés et je me sentais seule. Ce voyage fut assez vague; il ne m'en reste qu'une sensation de tressautement comme lorsqu'on touche un courant électrique. » (Cas A–94)

« Je n'ai rien senti de l'expérience de la naissance car j'étais à la fois à l'intérieur et à l'extérieur de mon corps. Puis je suis sortie et je me suis étouffée. On me mettait des doigts dans la gorge et on me tenait la tête en bas. Je ne percevais rien de ma mère sauf peut-être un certain soulagement. L'attitude des deux médecins de l'hôpital était purement clinique. » (Cas B–101)

« Je n'ai pas d'impressions de ma naissance, mais les mots qui me sont venus à l'esprit étaient : Ça y est, tu ne peux plus faire demi-tour! Je me souviens qu'une infirmière m'a égratigné le visage au moment où je suis née et j'avais peur. En revivant ce souvenir, mon corps tressaute. » (Cas A–553)

« Quand vous avez parlé de naissance, mon cœur s'est mis à battre plus fort et il me semblait bouger au rythme des contractions de l'utérus. Ce n'était pas déplaisant. A la sortie, la lumière me faisait mal et mes yeux pleuraient. Je sentais vaguement les gens autour de moi. Il me semblait que les hommes étaient peu coopératifs. » (Cas A–519)

« La naissance se passa très vite mais je fus consciente d'avoir l'épaule coincée et le cou tordu. J'avais très mal. J'avais peur de tomber car l'infirmière me balançait de bas en haut et je criais. Cela la fit rire ainsi que mon père. » (Cas A–418)

« Le moment de la naissance fut dur et sombre. Mais lorsque finalement je suis né, je me suis senti soulagé. J'avais un peu mal et j'étais triste, mais je fus content d'être lavé et séché. Je sentais que mes parents essayaient de compenser leur peu de penchant paternel et maternel en faisant des plans pour l'avenir. Mais je n'étais pas dupe. » (Cas A–557)

« L'expérience de la naissance fut douloureuse et je crus que j'allais mourir. Après être sortie, la lumière était trop forte et j'avais froid. Je sentais qu'on me soulevait – cela m'effrayait car je n'avais rien où m'accrocher, je n'avais plus d'équilibre. Être ainsi sans défense tout en ayant conservé une intelligence adulte me donnait envie de pleurer. » (Cas A–23)

« Quand vous avez demandé quelle fut notre expérience de la naissance, je me suis sentie prise dans des mouvements de pression et de vagues. Je pensais que je ne tenais pas particulièrement à être ainsi dérangée. Immédiatement après la naissance, j'ai eu froid et je sentais une certaine surprise autour de moi; je n'étais pas un garçon. Une infirmière avait l'air impressionnée. Elle devait être nouvelle. Les autres étaient distants, c'était pour eux de la routine. Je sentais qu'il me fallait jouer le jeu. Ma mère était heureuse que ce soit fini, mais mon père déçu que je sois une fille. » (Cas A–201)

« Ma naissance fut facile et je me sentais glisser. Après, je me suis trouvée dans une pièce blanche. On me tenait, me caressait, me cajolait et me réchauffait. Je savais que certains étaient contents que je sois une fille, mais ce n'était pas le sentiment général. Il me semblait que quelqu'un se faisait du souci. » (Cas A–165)

« C'était comme si je faisais un dernier voyage dans le fœtus, et il y avait une porte. Dès que je suis né, j'ai eu l'impression que j'étais là pour apprendre, je me sentais prêt. » (Cas A–185)

« Avant la naissance, je m'attendais à une sorte de traumatisme. Mais en fait, j'étais plutôt enthousiaste à l'idée de cette vie nouvelle qui commençait et des amis que j'allais retrouver. Je sentais le chaos des émotions des gens présents. Mais je ne me sentais pas concerné. » (Cas A–204)

« Quand vous avez parlé de naissance, j'ai senti une pression sur ma tête mais je ne sentais plus mes jambes. Après la naissance, elles étaient endormies et mes poumons me brûlaient. C'était juste un travail de routine pour le personnel de la salle de travail. Il me semblait que mes jambes étaient réellement endormies et je fus surprise de constater, en me réveillant, qu'elles ne l'étaient pas. Je crois que j'étais vraiment hypnotisée. » (Cas A–285)

« La naissance s'est déroulée très rapidement. Ma première pensée en sortant a été : Ai-je vraiment choisi ce qu'il me fallait? Je sentais de l'air froid, des sons, de la lumière. » (Cas A–481)

« Au début de la naissance, j'avais la tête qui tournait et mon monde avec. Je pensais : Bon, il faut sortir de là. Je sentais les lumières vives et le froid. Cela m'ennuya qu'une infirmière me caresse l'épaule. Ma mère s'était endormie et tout le monde semblait heureux que je sois un beau bébé. » (Cas A–418)

« J'étais recroquevillée dans la pénombre, et je ne voulais pas vraiment sortir. J'étais bien. Après la naissance, j'ai senti le froid et la lumière. Les gens faisaient trop de bruit et cela me faisait mal aux oreilles, comme la lumière me faisait mal aux yeux.

Je sentais que le médecin voulait rentrer chez lui et que tout le monde était fatigué. C'est bizarre, j'ai voulu naître jusqu'à ce que cela arrive réellement; puis j'ai voulu retourner là où j'étais avant. » (Cas A–141)

« Dans l'utérus, je sentais que je n'étais pas prête à sortir. Mon corps n'étant pas bien tourné, on a utilisé les forceps. Après la naissance, je ne me sentais toujours pas prête. J'étais anxieuse mais contente quand même. Je percevais la joie de ma mère quand elle me touchait. Je ne sentais personne d'autre. » (Cas A–325)

« Dans les voies génitales, je sentais que ma tête était poussée et je luttais. J'essayais de m'aider de mes bras mais je me rendis compte que je devais faire tout le travail avec ma tête. Après la naissance, il me semble que je fronçais les sourcils de toutes mes forces. J'étais libre des mouvements de mes bras et de mes jambes mais la lumière me gênait. » (Cas A–449)

« J'ai glissé dans le vagin très facilement, en me tournant un peu; après, j'avais envie d'être lavé. Le docteur semblait préoccupé par quelque chose et ma mère voulait savoir si j'allais bien. » (Cas A–395)

« J'étais en colère, à la naissance, parce qu'on me poussait avant le moment où j'avais décidé de naître. Dès que je suis née, j'ai vu un grand mur blanc, à environ un mètre de moi. Je ne percevais pas les sentiments des autres mais seulement mon immense colère. » (Cas A–306)

« L'expérience de la naissance est très vague chez moi. J'ai eu la sensation de mains autour de ma tête alors que je sortais. Après commencèrent des choses moins agréables. J'ai beaucoup pleuré. » (Cas A–290)

« Quand vous parlez de la naissance, je me souviens que ma tête était en dehors et mon corps à l'intérieur de ma mère. Je regardais le plafond. Après la naissance, j'ai vu les blouses vertes de l'hôpital et les lumières. Je percevais les sentiments des autres, mais j'avais l'intelligence d'un adulte, pas celle d'un enfant. J'écoutais et j'observais. » (Cas B–105)

« Pour moi, la naissance ce fut de passer à travers un tunnel, de voir une clarté bleue, puis jaune, et enfin la lumière. Après la naissance, j'ai aimé l'eau dans laquelle on me baignait et j'ai aimé être séchée. Je sentais que les autres, surtout ma famille, étaient heureux que je sois une fille. » (Cas B–1)

« Il me reste une impression de chaleur et d'humidité. Après ma naissance, j'avais froid; les mains de ceux qui me touchaient étaient froides. Je sentais l'activité d'autres personnes dans la pièce, et cela me semblait bizarre après le calme de l'utérus. J'avais pleinement conscience d'être né. » (Cas B–3)

« Dans les voies génitales, je me sentais poussée et cela me faisait mal. Après, j'ai eu froid et peur. Je savais que je n'étais pas désirée. Je sentais que ma mère me rejetait; mon père, lui, avait des sentiments ambigus. Il y avait aussi une tante qui assistait le médecin. Comme je ne respirais pas, c'est elle qui m'a fait respirer. » (Cas B–34)

« Je me sentais à l'étroit et mouillée. J'avais peur, après la naissance, que la personne qui me tenait me laisse tomber. Je sentais que les autres étaient calmes et participaient à ce qui se passait. » (Cas B–38)

« Pendant la naissance, je me suis sentie tourner et tomber. Après, j'ai vu une pièce blanche avec des meubles en bois (la salle d'accouchement d'un hôpital il y a cinquante ans?). Je ne percevais rien des pensées des autres. » (Cas B–42)

« Je n'ai senti aucune douleur au cours de la naissance. Après, les lumières étaient fortes mais j'étais heureuse d'être née. Ma mère semblait joyeuse et tout le monde dans la pièce plaisantait et riait. » (Cas B–96)

« Dans les voies génitales, une force inconnue me poussait. Je n'y pouvais rien, car je n'avais rien à quoi me raccrocher. Tout de suite après être sortie, j'ai senti l'air froid, les lumières crues, les gens qui portaient de curieux habits. Ma mère semblait soulagée que tout soit terminé. Elle s'est endormie. Les autres aussi étaient heureux que tout se soit bien passé. » (Cas A–20)

« Il me semblait avoir été poussée vers un bruit insupportable. J'en avais mal aux oreilles. Je ne pouvais pas trouver ma respiration. Je percevais les émotions de tous ceux qui m'entouraient. » (Cas A–75)

« Il me semble avoir nagé hors du vagin. En sortant, je suis devenue un humain. Tout de suite après, on me tira sans que ce fût nécessaire. Je me sentis épuisée et en colère, à cause de la lumière, de l'air, de tout. Ils étaient trop brusques. L'atmosphère était dure. Je m'attendais à un jeu, mais tout n'était que chocs, et je voulais retourner là où tout n'est que lumière. » (Cas A–339. – Ce sujet avait déclaré avoir choisi de naître pour jouer, mais sentait que quelqu'un voulait l'en empêcher.)

« L'expérience de la naissance fut très excitante. Je pensais : Ça y est, j'y vais! Tout de suite après, j'ai senti la lumière, le froid, la douleur quand j'ai essayé de respirer. J'étais blessée et choquée parce que ce n'était pas drôle. Une femme m'a prise brutalement. Elle était en colère et elle ne m'aimait pas. Je l'ai offensée d'une façon quelconque. Ma mère était trop fatiguée et souffrait trop pour s'occuper de moi. Je pleurais. Je voulais retrouver la lumière de l'autre espace. » (Cas A–374. – Ce sujet, lui aussi, était pressé de naître.)

« La naissance, ce fut pour moi comme de nager sur le dos en activant mes bras au maximum pour m'en sortir plus vite. J'étais en colère dès la naissance et je sentais que je serrais les poings. J'étais sur le dos, je pleurais, et mes doigts de pied se crispaient. J'étais dans une salle d'accouchement et le personnel de l'hôpital s'activait. Ma mère était endormie, je ne pouvais donc rien attendre d'elle. Puis après un court instant, ma colère est partie et je me sentis pleine d'énergie et heureuse. » (Cas A–375)

« La naissance fut pour moi une lutte et une hésitation. Tout de suite après, ma première pensée fut : Je veux retourner chez moi! Les gens dans la salle d'accouchement semblaient préparer leur soirée, parlant de dîners, etc. Je sentais que mon père était très heureux. » (Cas A–140)

« L'expérience de la naissance fut très déplaisante. On m'a forcée à sortir contre mon gré. J'étais en colère, apeurée et sans défense. Après la naissance, la lumière était trop brillante et il n'y avait personne pour m'accueillir. Tous étaient très professionnels et ils se congratulaient l'un l'autre. Je voulais qu'on me rassure en me disant que tout allait bien. » (Cas A–401)

« Je savais que ma mère était très anxieuse, aussi je me suis dépêchée de descendre avant qu'elle ne s'inquiète et afin de lui faciliter la tâche. Après la naissance, je me souviens avoir pensé que les adultes sont bêtes parce qu'ils ne savent pas ce que veulent les bébés. Le médecin n'est arrivé que lorsque tout était terminé et il semblait ennuyé. L'interne était heureux. Les infirmières avaient l'air d'aimer leur travail et je trouvais tout beau. » (Cas A–422)

« Dans le vagin, je sentais une force chaude qui m'aidait à sortir avec fermeté. Après la naissance, je ressentis les lumières vives et le froid. J'aimais bien le fait de naître, par contre je redoutais de revivre. C'était bruyant, trop lumineux et froid. Ce n'est que plus tard que je me suis sentie de nouveau au chaud. Je percevais les sentiments des autres et j'étais très déçue de voir que je n'étais pas accueillie avec davantage de joie. J'étais lucide sur tout, mais les autres ne le savaient pas. » (Cas A–345)

« Je me sentais à l'étroit dans ce canal, surtout mes pieds étaient comprimés. Après, j'ai eu le vertige parce qu'on me tenait en l'air et on me remuait trop fort. Je voyais des lumières trop vives et je sentais qu'on me prenait sans ménagement. Le poids de mon corps ne m'était pas agréable, et j'avais de la muqueuse dans les oreilles, les yeux et la bouche. Je percevais les sentiments des autres. Ma mère était à demi endormie et les infirmières passaient, indifférentes. » (Cas A–493)

« Tout était gluant dans ce canal, mais c'était

chaud. Je me suis bagarré au moment de sortir. J'avais peur et je voulais retourner au stade prénatal. Je me sentais seul et terrifié. A la naissance, j'ai eu froid et il y avait beaucoup de lumières et de bruits. Je ne percevais qu'un peu les sentiments des autres. J'étais surtout concerné par mon propre inconfort et j'ai crié. » (Cas A–231)

« J'avais l'impression que c'était très, très étroit et qu'il me fallait en finir au plus vite. J'ai crié en sortant parce que je voulais rester près du corps de ma mère, m'accrocher à elle. Je sentais que le médecin était très heureux, mais je n'ai perçu aucune réaction de ma mère parce qu'elle s'est endormie. Je pensais qu'être né dans cette vie était drôlement ennuyeux. » (Cas A–211)

« Je n'ai pas voulu faire l'expérience de la naissance, et je n'ai rejoint le corps que plus tard. J'ai vu alors la chambre, le médecin et les gens qui étaient présents (je suis née à la maison). Je n'aimais pas l'idée d'être confinée dans ce petit corps et j'ai eu l'impression de tout à coup plonger, comme on le fait quand l'eau est froide. Les gens dans la pièce semblaient heureux et satisfaits. » (Cas A–234)

« Dans le canal, il me semble que j'avais la tête en bas, puis je me suis tournée et je suis sortie la tête la dernière. Je crois, en fait, qu'on m'a fait tourner. Après la naissance, je ne savais pas où j'étais. Je ne pouvais ouvrir les yeux ni sortir de mon corps pour voir à quoi ressemblait la pièce et les gens présents. Je n'ai pas bougé pendant un long moment et je me sentais résignée. » (Cas A–191. – Ce sujet était né bien qu'on lui ait conseillé de ne pas le faire dans cette famille.)

« L'expérience de la naissance était pour moi

comme une torture lente. Je me sentais écrasée, je n'avais pas assez d'espace et je souffrais. Après la naissance, j'ai senti qu'il faisait froid et qu'il y avait trop de lumière. J'avais surtout mal à la tête et au visage. Je percevais les sentiments des autres. Ma mère hésitait entre la douleur et le soulagement, mais aussi le dégoût. Tous les aides de l'hôpital étaient indifférents, à l'exception d'une infirmière. » (Cas A–143)

« Dans le canal de la naissance, je me sentais comprimée, c'était terrifiant. Puis, juste après ma naissance, mon grand-père m'a tenue. Ma mère était endormie. J'étais seule et étonnée. Je sentais que la joie autour de moi était fausse car tous espéraient un garçon. » (Cas A–156)

« Pendant la naissance, je ne me suis pas vraiment identifiée au bébé. Elle fut difficile et je le regardais se débrouiller. Après la naissance, je l'ai encore observé, et je pensais que mon esprit était trop grand pour un aussi petit corps. » (Cas A–443)

« Je suis écrasée dans le vagin mais ce n'est pas désagréable. Après ma naissance, le froid et la lumière m'assaillent. J'ai la peau mouillée. Je suis la tête en bas, ne pouvant rien faire, et personne ne m'aide. Je serre les paupières autant que je peux. Le médecin semble plus préoccupé par la naissance elle-même que par moi. Ma mère est sous anesthésie. » (Cas A–194)

« Le canal me paraissait chaud et serré. Après la naissance, quelqu'un a essayé de m'ouvrir les yeux et de les examiner. J'ai éprouvé une sensation de chaleur. Je me rendis compte que les gens couraient partout parce que je risquais de mourir.

J'essayais en effet de disparaître. J'étais prématuré et j'ai eu l'impression (au cours de ce voyage hypnotique) que c'était un effort conjoint de ma mère et de moi. Elle ne me voulait pas et je ne voulais pas naître. » (Cas A–261)

« L'expérience de la naissance fut tout à fait étonnante et pas si mal que cela. J'envoyais des messages à ma mère pour qu'elle ressente des sensations plutôt que de la douleur. Elle était droguée, mais cela ne changeait rien. Après la naissance, il y avait des lumières vives et des bruits. Je sentais que mon corps de bébé était incroyablement fort et puissant. Je prenais conscience de tous mes mouvements et de ceux des autres. Le médecin et les infirmières vaquaient à leurs occupations mais tous semblaient heureux. Ma mère aussi était heureuse mais épuisée. J'étais très contente de naître. J'aimais ma mère, je la trouvais formidable. J'avais peur que ce soit triste mais tout allait bien. » (Cas A–327)

« Quand vous avez parlé de l'expérience de la naissance, j'ai ressenti une douleur dans la poitrine, qui s'est arrêtée brutalement, puis a repris plus fort. Autour de moi, tout le monde s'activait et je voyais de vagues silhouettes blanches se dépêcher. J'avais très mal en haut de la poitrine, dans la région des bronches. (J'ai eu un sérieux problème à la naissance et ai été baptisé à deux reprises car le médecin pensait que je ne vivrais pas. Ce problème, l'asthme, a duré pendant toute mon enfance.) » (Cas A–471)

« Je suffoquais dans le canal. Je me sentais poussé et je voyais du jaune pâle et du rouge pourpre. J'ai fait exprès de bloquer mes souvenirs à la période d'après ma naissance car je savais que j'avais un œil au beurre noir et j'ai pensé que cela pouvait influencer mes souvenirs. J'ai senti une certaine douleur dans le dos et entre les épaules. Il me semble que je riais des gens qui m'entouraient. Je ne sais pas pourquoi; je crois que c'est parce qu'ils ne savaient pas du tout ce que j'étais ni ce qu'était la naissance. Je croyais qu'ils devaient être blasés dans cet hôpital, mais je les sentais émotifs et heureux, ce qui me semblait encore plus drôle. » (Cas A–520)

« Pendant la naissance, je me sentais à la fois dans le corps et hors de lui, je pouvais observer. Ensuite, j'étais mouillée et mon front saignait. J'avais du mal à réaliser que j'avais été blessée à la tête. Quelqu'un dans la pièce a dit que j'avais un drôle d'air. Cela m'a ennuyée, bien que cette personne ait ajouté que cela ne durerait pas et que je serais mieux plus tard. » (Cas A–482)

« La naissance fut une expérience chaotique, faite de sursauts. Je me souviens de l'irrésistible envie de respirer, de sentir mes membres libres, de m'étirer. Dès que je suis sortie, la première respiration m'a brûlée, je toussais et je m'étranglais. Avant d'être lavée, ma peau était douloureuse, asséchée par le liquide amniotique. Malheureusement, je fus frottée par un idiot avec une éponge rugueuse. La salle d'accouchement était une pièce très froide. Tout le monde connaissait les sentiments de ma mère. Elle répétait : Je n'en veux pas, je n'en veux pas. » (Cas A–348)

« La naissance fut une étrange expérience. Dans les premiers instants où je l'ai revécue, je suis sortie de ma transe hypnotique avec une sorte de choc, et j'ai ouvert les yeux. Puis, comme je me suis rendormie, je sentais mon propre corps comme étant celui d'un bébé. Mes bras, surtout, semblaient bouger en tous sens, hors de tout contrôle musculaire. Je crois que ma mère était endormie. » (Cas A–206)

« Au cours de la naissance, j'ai senti une main attraper mes pieds et il me semblait que j'étais encore lié au corps de ma mère. Après, j'ai pris conscience que des résidus fœtaux et du sang coulaient de mes yeux. Il y avait aussi une lumière vive, et je me sentais agressé par tous les gens du bloc opératoire. J'avais l'impression qu'ils ne m'enveloppaient pas dans les bons vêtements, et je me sentais déçu. Je n'ai pas aimé cette expérience de la naissance. » (Cas A–324)

« Quand vous avez posé cette question, j'ai senti une pression sur mon front, et ma tête était dans une sorte d'étau. Après la naissance, je voulais être portée et réconfortée. Je sentais ma mère incertaine, et cela me rendait nerveuse, car je savais qu'en réalité elle était très heureuse. » (Cas A-341)

« Votre question m'a mise en colère. Je voulais sortir mais ma mère ne le voulait pas. Je donnais des coups de pied, je me battais, je criais. Après la naissance, j'étais soulagée mais toujours en colère. Je pensais : Voici l'endroit pour lequel je voulais tellement naître! Je percevais les sentiments des autres. Ma grand-mère était très méchante. J'ai d'abord cru que c'était une morveuse d'infirmière, mais c'était ma grand-mère. » (Cas A–352)

« Quand je vous ai entendue parler de naissance, j'ai eu l'impression d'être poussée. Je n'ai guère d'impressions de l'instant après la naissance. Tout le monde était calme. J'avais très froid et je me sentais seule. Ma mère était heureuse, mais il me semblait pourtant qu'elle n'était pas prête à me recevoir. » (Cas A–494)

« Pour moi, la naissance ce fut de descendre un long tunnel sombre au bout duquel se trouve la vie, tout en étant étroitement enserré dans ce tunnel. Après, j'ai pris conscience des lumières trop vives et du bruit qui m'entouraient. J'entendais des échos. Ma mère était déçue parce que je n'étais pas du sexe qu'elle espérait. » (Cas A–360)

« Quand vous avez parlé de naissance, mon cœur s'est accéléré. C'était comme si on m'avait précipité du haut d'une pente. Ensuite, j'ai vu une pièce stérile et très calme. Cela me semblait étrange d'être dans un aussi petit corps. Les gens étaient gentils, mais je les trouvais un peu indifférents. » (Cas A–7)

« Au cours de la naissance, je ressentais une pression et une douleur vive à la tête. J'avais du mal à respirer parce que mon sternum était comprimé. Après la naissance, je pris conscience de la lumière, du bruit, et de l'étroitesse de ce corps. Je savais que je n'avais pas voulu être là. » (Cas A–144)

« Je ne me suis pas rendu compte de grand-chose pendant la naissance, mais après j'ai senti étonnement et confusion. Je pensais : Qu'est-ce que je fais maintenant? Je n'ai eu aucun contact avec l'extérieur parce que j'étais un prématuré, et on m'a traité comme un être à part. Je ne pouvais pas rejoindre ma mère et commencer à vivre tout de suite. » (Cas A–420)

« J'étais entouré d'une muqueuse rouge. Ma tête a failli éclater. Tout le monde avait peur pour ma mère parce que j'étais très gros. Je me sentais tout à fait vivant et actif. Mais tout de suite après la naissance, je me suis senti triste et malheureux. Je savais que les personnes présentes dans la pièce me trouvaient beau, mais je savais aussi que ma mère ne me désirait pas vraiment, à cause de la responsabilité qui allait lui incomber. C'est seulement depuis cette expérience sous hypnose que je réalise combien la naissance est un moment triste. » (Cas A–238)

« Pendant la naissance, je suffoquais. Après, j'ai eu très très froid. Je savais tout des sentiments des autres personnes présentes. Chacune avait une attitude bien à elle en me touchant. » (Cas A–98)

« A la naissance, j'ai eu l'impression de descendre rapidement, j'étais très excitée car j'allais enfin arriver au bout. Après, j'ai senti d'autres énergies autour de moi. Je percevais très bien les sentiments des autres. Les choses me semblaient évidentes, mais pas explicables au sens intellectuel du mot. » (Cas A–101)

« Quand vous avez parlé de naissance, j'ai senti que mon cœur battait fort, et j'avais l'impression d'être sur le point d'éclater. J'avais mal à la tête. Après, je me suis senti bizarre parce que j'étais si petit à côté de ce que j'étais à l'intérieur! Il me semblait que j'analysais mon père, ma mère, mon grand-père. Je sentais que ma mère et ma grand-mère étaient heureuses et fières. » (Cas A–351)

« Je savais qu'il fallait que je naisse pour une raison précise. Tout de suite après, j'ai vu que ma mère et mon père pleuraient. Ma grand-mère, mon grand-père, une tante et un oncle étaient également présents. L'atmosphère était chargée de sentiments ambigus, dont les plus forts étaient ma frayeur et ma solitude. » (Cas A–489)

« Je sentais qu'il fallait que je rejoigne le fœtus, sinon il n'aurait pas survécu. Après ma naissance, je me suis senti lourd, et j'étais étonné de cette densité. J'étais beaucoup plus lourd que je l'avais imaginé. » (Cas A–393)

« Pour moi, la naissance, ce fut de pousser ma tête à travers un tunnel de chair. Il y avait de la lumière au bout de ce tunnel. Ma mère était inconsciente; je voyais des murs jaunes et des lumières blanches. Je fus porté hors de la pièce par des gens aux mains froides. Tout s'est passé trop vite. » (Cas A–313)

« J'avais peur de la naissance. Pendant cette séance d'hypnose, mon corps tremblait et fourmillait. J'ai crié dès que j'ai été en contact avec le monde extérieur. Je sentais que tous ceux qui m'entouraient considéraient cet événement comme de la routine. » (Cas A–330)

« Je ne voulais pas naître, et ce fut très difficile. J'ai eu mal après ma naissance. Les lumières étaient trop fortes. Mon corps tout entier me faisait mal à crier. Ma mère m'avait abandonné (elle était sous anesthésie). Tous les autres étaient très efficaces mais n'avaient guère de cœur. Ce ne fut pas une entrée agréable dans le monde. » (Cas A–284)

Je ne résumerai pas cette somme d'expériences relatées. Il est clair que la plupart de mes sujets, quel que fût leur enthousiasme à naître, ont trouvé que cette expérience était celle de la solitude et de l'aliénation, en comparaison du monde de lumière qu'ils venaient de quitter.

8

LES ENFANTS ADOPTÉS, LES NAISSANCES PRÉMATURÉES, LES CÉSARIENNES

La grande majorité de mes sujets étaient des unipares nés à terme. Mais, comme dans tout groupe de 750 personnes, certains cas étaient autres.

Une des particularités les plus intéressantes à étudier est le phénomène des jumeaux. Ils sont plutôt rares dans l'espèce humaine, et on en trouve de deux sortes. Il peut s'agir de deux œufs fertilisés pendant le même cycle par le même père, mais qui contiennent chacun une combinaison différente de gènes maternels et paternels. C'est ce qu'on appelle les faux jumeaux. L'autre phénomène, plus rare encore, est la division d'un œuf en deux embryons. A l'inverse des faux jumeaux, ces deux embryons contiennent précisément le même matériel génétique. En un sens, les vrais jumeaux résultent d'une forme de « clonage » qui survient après la division de la première cellule; il en résulte deux embryons absolument identiques qui se développent pour devenir deux corps semblables mais séparés. Le phénomène des vrais jumeaux a longtemps fasciné l'humanité. Ils sont mal différenciés, sauf par leur mère et quelques intimes. Comment les jumeaux identiques peuvent-ils se reconnaître d'une façon quelconque? Une des raisons qui permet de les distinguer, est que chaque jumeau est une image inversée de l'autre, comme dans un miroir. Si l'un d'eux a un épi du côté gauche de la tête, l'autre en aura un du côté droit. Même en dehors de ces détails de symétrie bilatérale, quiconque rencontre une paire de vrais jumeaux percevra tout de suite une différence. L'un peut avoir un nez plus épaté, l'autre, des expressions de visage particulières. C'est comme si leur personnalité se manifestait pour nous permettre de les différencier.

Lorsque les vrais jumeaux grandissent et sortent de l'enfance, on peut plus facilement les distinguer. Leur poids varie ainsi que leurs traits; ils commencent à faire l'expérience d'une vie séparée. Il est pourtant toujours aussi évident qu'ils viennent du même système génétique.

Des tests pratiqués sur des jumeaux ont révélé beaucoup de similitudes dans leur choix, leurs capacités intellectuelles, leur prédisposition aux maladies et même l'âge de leur mort. Nous nous émerveillons souvent des similitudes entre de vrais jumeaux, mais nous ne sommes pas toujours curieux des différences, que ce soit dans leurs expériences de la vie ou dans leur apparence extérieure à l'âge mûr.

L'une des théories sur la réincarnation veut que ce soient les molécules ADN, porteuses du matériel héréditaire du corps comme de l'esprit, qui permettent un « souvenir » des vies passées. En bref, et d'après cette théorie, la mémoire de toutes nos expériences passées, et même celle de l'évolution de l'organisme unicellulaire à celui du mammifère, serait codée dans les molécules ADN à l'intérieur de chacune des cellules de notre corps. Toujours d'après cette théorie, nous pouvons, si nous utilisons les molécules ADN pour les transmettre, revivre des expériences passées. L'idée est spécialement attrayante pour ceux d'entre nous qui pensent qu'un mécanisme physique doit être à la base de la compréhension de tout phénomène mental. C'est une explication plus scientifique que celle qui dit que notre âme ou esprit vit les expériences diverses et les vies successives dans des corps différents, en gardant le souvenir de chaque événement. Si la théorie des ADN est vraie, alors les vrais jumeaux devraient se souvenir des mêmes vies antérieures! Voilà une bien intéressante théorie à vérifier. J'avais onze jumeaux dans mon groupe de 750. Un seul était accompagné de son vrai jumeau pendant nos séances.

Cette paire de jumeaux avait des vies passées différentes, bien qu'ils n'aient pas choisi d'explorer les mêmes périodes. Ils se sont sentis en communication télépathique au cours de l'expérience de la naissance. L'un avait choisi de naître, l'autre semblait être venu à contrecœur expérimenter une nouvelle vie physique. Tous deux dirent avoir connu leur jumeau dans une autre vie, mais sans donner de détails supplémentaires.

Il serait intéressant de prendre dix paires de jumeaux identiques et de les faire régresser indivi-

156

duellement vers leurs vies passées et vers l'expérience de leur naissance. Il faudrait les prendre séparément et à des moments différents, pour être certain qu'il n'y ait aucune communication entre eux. Il serait alors possible de voir s'ils ont les mêmes souvenirs à la fois des vies antérieures et de la naissance. Si c'est le cas, ce serait un bon point en faveur de la théorie des ADN, ou concept héréditaire de la mémoire des vies passées. Bien que n'ayant pu bénéficier de ces conditions idéales, j'ai pu obtenir quelques impressions quant à la relation des jumeaux avant la naissance.

Les résultats étaient tous semblables. Mes sujets qui avaient des frères ou sœurs jumeaux rapportèrent les avoir connus intimement dans une autre vie et avoir été avec eux au cours de la période de l'entre deux vies. Ils étaient très proches, mais apparemment sans avoir déjà été jumeaux; c'est pour cela qu'ils avaient décidé de revenir sous cette forme :

« Ma jumelle voulait renaître à cette période, et elle m'a convaincue de venir avec elle. Elle semblait avoir à travailler son *karma* davantage que moi; tout au moins, elle le désirait davantage. J'étais d'accord pour venir avec elle et nous avons choisi des fœtus jumeaux. Je n'étais pas dans le fœtus avant le moment de la naissance, elle non plus. Il me semblait que nous nous disputions pour savoir quel fœtus nous allions choisir, qui serait le bébé brun et qui serait le blond. Quand nous fûmes dans le fœtus, elle fut pressée de naître. Je résistais et c'est elle qui me pressa de descendre et de me dépêcher. »

Ce sujet a vécu une expérience très intéressante

dans sa vie. Notre séance pour revivre la naissance sous hypnose avait lieu chez elle. Le téléphone sonna et une personne qui n'était pas sous hypnose répondit. Ce n'est qu'à la fin de l'expérience que nous avons appris que c'était la sœur jumelle qui avait appelé. Elle vivait à plus de trois mille kilomètres de là, et ayant senti que sa sœur éprouvait, à ce moment, une grande émotion, voulait s'assurer que tout allait bien.

D'autres sujets qui étaient jumeaux présentaient des cas semblables à celui-ci. Ils avaient tous connu leur jumeau dans une autre vie, parfois comme frère et sœur; l'une comme amant, une autre comme professeur. Ils savaient avant leur naissance comment ils allaient revivre cette vie et se réjouissaient de l'expérience. Un sujet qui a un jumeau raconte :

« Lorsque vous m'avez fait retourner à la période précédant ma naissance, je sentais la présence de quelqu'un qui me rappelait Louis. Nous étions très proches et il me pressait de naître. Je savais qu'il fallait que je le fasse parce que j'en savais suffisamment sur la période de l'entre deux vies. Louis me conseillait et m'assurait qu'il allait veiller sur moi. Nous avons choisi des fœtus jumeaux. Je n'y suis entré que peu avant la naissance. Je sentais, et j'en étais malheureux, que Louis se retirait du fœtus qui devait être le sien. Apparemment, il ne naîtrait pas avec moi. Il me dit à contrecœur qu'il ne viendrait pas avec moi mais qu'il demeurerait dans mes rêves. Il resterait en relation avec moi et m'aiderait à supporter les difficultés de ma vie future. Louis fut un fœtus mort-né; moi je vécus. J'ai parfois conscience de la présence d'une silhouette dans mes rêves, elle me conseille et me rassure. Je pense que c'est Louis. »

D'autres sujets racontèrent que certaines personnes de leur vie présente furent leurs jumeaux dans d'autres vies. L'un des sujets écrivit, à propos des personnes rencontrées avant cette vie :

« Vous m'avez demandé si j'ai connu mon futur père et je me suis soudain rendu compte que nous avions été jumelles dans le passé. Nous étions très proches et j'attendais avec impatience de vivre de nouveau avec lui. Cette fois ce devaient être des relations de père à enfant plutôt que de sœurs jumelles. »

Un autre sujet vit une de ses amies présentes, comme une ancienne sœur jumelle :

« Nous avons toujours été très proches. Nous avons parfois des expériences télépathiques, peut-être parce que nous avons été jumelles auparavant. »

Il est intéressant d'examiner la relation entre le jumeau et le clone. Le clone est essentiellement la reproduction d'un individu dont on contrôle l'environnement génétique. On crée un embryon qui porte exactement le même matériel génétique que l'un des parents (homme ou femme). Ce fœtus, qui se développe avec les caractéristiques génétiques d'un seul parent, est implanté dans l'utérus et passe par tous les stades normaux jusqu'à la naissance. Cette idée est très séduisante car elle permet la reproduction de plusieurs individus ayant exactement la même personnalité. De cette façon, nous pouvons peut-être créer l'immortalité en nous donnant de nouveaux corps. Très attrayante pour tous ceux qui ne séparent pas la conscience du cerveau physique, elle ne va cependant pas sans présenter quelques difficultés. La seule façon d'analyser l'esprit d'un clone, pour l'instant, est d'examiner ce qui se passe avec de vrais jumeaux. Si nous ne sommes que des esprits attendant de se développer au travers des expériences des stimuli physiques qui nous entourent, alors les différences entre les vrais jumeaux ne sont dues qu'à l'environnement. Une mère peut s'occuper de ses jumeaux d'une manière différente. L'exemple extrême serait celui de triplés ou de quintuplés. Voilà des exemples de clonages naturels.

Il me semble qu'il a été établi, sans que le doute soit possible, que les personnalités des jumeaux ou même des quintuplés diffèrent malgré le même matériel génétique de départ. Un quintuplé peut montrer une activité physique débordante dès sa naissance, tandis qu'un autre sera passif. Ces différences se remarquent dès le premier stade de l'enfance et augmentent au fur et à mesure que les jumeaux, triplés ou quintuplés grandissent. Chacun semble choisir dans son environnement avec les stimuli spécifiques qui l'attirent et se développe ainsi de sa propre manière. J'aimerais pourtant entendre parler de jumeaux, triplés ou quintuplés développant les mêmes caractéristiques de personnalité et les mêmes intérêts.

D'après les expériences de la naissance que nous venons de voir, ces âmes ou esprits ont sans doute choisi de vivre ensemble dans des corps identiques, mais leurs motivations, leurs sentiments, leurs liens *karmiques* étaient différents. Voilà pourquoi ce sont des individus à part entière, bien que leur matériel génétique soit semblable. Qu'arriverait-il si nous pouvons produire des clones de nous-même, reproduisant nos propres caractéristiques génétiques? Les résultats seraient-ils semblables à ceux des naissances multipares? Un individu créé à partir d'une structure unicellullaire qui serait la nôtre serait aussi différent de nous que le sont les vrais jumeaux entre eux. Notre enfance et notre adolescence ne se sont pas déroulées au cours de la même période historique qu'un clone qui naîtrait maintenant. Les influences de l'environnement seraient forcément différentes pour lui. Aussi, bien qu'il y ait des chances pour que les expériences se ressemblent, cette similitude ne peut être que très limitée. Ceci est vrai si l'on croit que l'environnement influe sur le développement de la personnalité. Si mes expériences sous hypnose peuvent servir de témoignage, il semblerait que l'usage du clonage, de préférence à la méthode usuelle pour créer des embryons, permettrait à davantage d'âmes de connaître la vie physique, car il multiplierait le nombre des véhicules. C'est ce qui s'est déjà passé lorsque notre taux de mortalité infantile a baissé et que le taux de naissances a augmenté. Cela a donné à de nouvelles âmes l'occasion d'expérimenter une nouvelle vie, et de connaître ainsi une vie entière plutôt qu'une partie de l'enfance, cessant pour cause de malnutrition ou d'épidémie.

Les chercheurs scientifiques qui, dans les laboratoires, travaillent sur le clonage, expliquent qu'ils essayent ainsi d'améliorer la protéine humaine. Les généticiens se sont efforcés, des années durant, de produire une vache idéale, pour le minimum d'argent. Nous avons, sans scrupules, joué les dieux avec d'autres animaux. Et pour avoir, pendant des années, « amélioré » les vaches pour qu'elles donnent une meilleure viande, nous voilà face au problème d'une race d'animaux qui nous procure plus de protéines que nous n'en avons besoin. La pauvre vache, qui a passé sa vie à servir les intérêts de l'homme, nous est maintenant suspecte parce qu'elle nous donne trop de cholestérol et des éléments nutritifs dont nous n'avons pas besoin, ajoutant ainsi aux dangers de notre vie confortable. J'ai toujours eu de l'affection pour les vaches qui nous donnent du lait, des glaces, des steaks, tout ce que j'aime. Elles doivent manger de l'herbe pendant des mois pour qu'en un bref instant, je me refasse une énergie grâce à ce qui les a nourries. Je dois remercier les généticiens, voilà qui est fait. Maintenant que j'ai atteint l'âge dit « mûr » et que je suis totalement dépendante des produits cholestéroleux, je pense que la nature a raison. Je ne parcours plus les champs à la recherche d'herbe à manger : les vaches le font pour moi. Je dois maintenant m'adonner au jogging et aux exercices physiques parce que je ne cours plus dans les champs. La meilleure de nos vaches ne court plus non plus; on lui donne des vitamines et des suppléments alimentaires pour lui permettre de rester allongée et de nous donner ainsi un bon steak. Malheureusement, notre matériel génétique a été conçu pour durer quatre-vingt-dix ans à condition que nous dépensions notre énergie à récolter notre propre moisson. La boucle du cercle semble fermée. Nous pouvons maintenant grignoter délicatement quelques feuilles de salade en faisant des heures de culture physique pour rester en forme. Il me semble qu'il était plus drôle d'aller à la recherche de notre nourriture, ayant en même temps l'herbe fraîche et l'exercice.

Cette longue digression mise à part, le clonage, puisque tel était notre propos, semble être une tentative pour contrôler les processus d'évolution des animaux que nous élevons afin qu'ils nous servent de nourriture. Si nous pouvions produire un bon bifteck sur pied, puis cloner cet animal, nous pourrions tous manger la même viande. Il est peu probable que nous arrivions à de telles expériences, car on nous dit maintenant que nous ne devrions pas manger de bœuf, mais du poulet et du poisson. Les poissons semblent se cloner parfaitement bien sans nous; je n'ai en tout cas jamais entendu parler de quiconque à la recherche de la truite parfaite. C'est aux truites elles-mêmes de travailler au projet.

Bien que le clonage semble marquer un développement intéressant de l'histoire de l'humanité car il implique une faculté divine à changer notre environnement, y compris celui de notre corps, je le trouve de peu d'intérêt. Nous sommes tous censés retrouver la forme animale que nous avions à l'origine, et la « nouvelle version moderne » devra continuer à s'adonner aux régimes de carottes râpées et de jogging une fois par jour. Pourquoi donc ne nous en tenons-nous pas au bon vieil animal que nous étions, ce bon vieux corps humain qui a traversé les millénaires?

Six de mes 750 sujets m'ont dit avoir été des prématurés, nés au bout de six ou sept mois de gestation. Il est intéressant de noter que ces sujets n'étaient dans le fœtus que juste avant la naissance.

Trois d'entre eux racontent qu'ils continuaient à être conseillés par « les autres » pendant que le fœtus se développait, puis avoir été bousculés pour le rejoindre car la naissance arrivait avant la date prévue. Deux sujets parlent de couveuses ou de systèmes de survie artificielle. Ils disent ne pas avoir été dans leur corps au cours de cette période, venant seulement de temps en temps. Un sujet a trouvé que la machine d'aide respiratoire était très agréable car elle lui permettait de respirer sans effort. Elle avait eu des difficultés tout de suite après la naissance.

Une autre, née au bout de six mois, a donné une raison intéressante à cela : elle sentait que sa mère ne la voulait pas, et elle-même n'avait pas vraiment envie de naître :

« C'était comme si nous étions en étroite collaboration; nous voulions nous séparer et ne pas passer trop de temps au développement du fœtus. »

Quatorze autres sujets ont écrit dans leur compte rendu être nés par césarienne. C'était un bien petit pourcentage, mais ils étaient âgés de trente ans ou plus. On ne pratiquait guère de césarienne dans le passé, alors qu'elle devient de plus en plus fréquente. Leurs expériences allaient-elles être différentes de ceux venus naturellement à la vie? Apparemment, ces sujets avaient connu certaines difficultés. L'un d'entre eux dit avoir été content que les choses se passent ainsi car il se débattait pour naître :

« Ma tête poussait un obstacle immobile et j'étais de plus en plus paniqué. Tout à coup, je fus soulevé et amené ainsi au monde. Apparemment, ils avaient dû pratiquer une césarienne parce que le travail avait duré plus longtemps. J'étais mécontent d'avoir été soulevé si brusquement, mais heureux d'être dehors et de pouvoir respirer. Je savais que maintenant j'allais vivre. »

Une autre personne née sous césarienne raconte :

« Je n'étais pas prête à naître. J'ai rejoint le fœtus, et j'étais sur le point de me préparer à sortir lorsque je me suis sentie comme soulevée dans les airs. On me tenait au-dessus de ma mère, et j'ai eu très peur de tomber. Je fus assaillie par le froid et par la lumière. C'était intéressant, car j'ai toujours eu peur des hauteurs et peur de tomber. Je pensais que cela pouvait venir d'une vie passée mais je me suis rendu compte en revivant ma naissance que c'était à cause de la césarienne. »

D'autres sujets nés de la même façon évoquent le fait que leur mère était « absente » parce que sous anesthésie. L'un d'eux écrit :

« On m'a tiré du ventre de ma mère. Je voyais qu'il y avait du sang partout, et je me sentais très seul. J'avais froid et les lumières me blessaient. J'étais né par césarienne. Tout ce que je savais, c'était que je voulais être cajolé et tenu dans les bras de ma mère. Mais ce n'était pas possible car elle était sous anesthésie. Je me suis alors senti très seul. »

Un autre sous-groupe intéressant a été celui des sujets adoptés peu de temps après la naissance. Trente d'entre eux m'ont dit que c'était la raison pour laquelle ils voulaient faire cette expérience.

« J'ai toujours voulu savoir qui était ma mère naturelle, et connaître les circonstances de ma naissance. C'est devenu une obsession et j'espère que l'hypnose me révélera quelque chose qui m'aidera dans cette recherche. »

Malgré leur fort désir conscient de tout savoir sur leur naissance, seulement quatorze d'entre eux l'ont revue sous hypnose. Ce qui fait que le pourcentage de ce groupe qui a revécu sa naissance est le même que celui du groupe en général. Apparemment, l'intensité de l'intérêt porté à l'expérience ne fait pas augmenter le nombre de sujets qui vont la vivre. Ce qui me laisse penser que le fait que les gens revivent leur naissance sous hypnose n'est pas en rapport avec leur désir conscient de le faire. Leur acte semble plutôt dû à une décision inconsciente de permettre à cette information de passer dans le conscient. Parmi ces sujets adoptés qui ont revu leur naissance, tous sauf deux ont découvert sous hypnose qu'ils n'avaient pas connu leur mère ou père naturel dans une vie passée mais que, par contre, ils avaient des liens *karmiques* avec leurs parents adoptifs. Certains avaient des liens avec les deux parents, mais plus souvent avec l'un ou l'autre. C'est un résultat surprenant. Un des sujets qui était à la recherche de sa mère a pu entendre quelqu'un appeler celle-ci. Le nom n'était pas très clair mais elle savait qu'il s'agissait de sa mère. Elle n'eut pas d'autre détail. La majorité de ceux qui avaient été adoptés déclarèrent être conscients des sentiments de leur mère avant la naissance, un mélange de peur et de tristesse. L'un d'eux écrit :

« Je sais que ma mère se sent coincée. Elle ne me voulait pas et elle sait qu'elle ne peut pas me garder. Elle se sent très fatiguée et très triste, et elle veut seulement en finir le plus vite possible. »

Les liens *karmiques* avec les parents adoptifs étaient très intéressants. Certains connaissaient, avant de naître, la relation qu'ils allaient avoir avec leurs parents adoptifs, et pensaient ne pas pouvoir être leurs enfants naturels. Ils avaient choisi l'adoption pour parvenir à ces personnes. On peut, bien sûr, penser que les liens de ces sujets étaient plus forts avec leurs parents adoptifs qu'avec leurs parents naturels et que cela avait pu influencer leur expérience. Beaucoup d'entre eux voulaient découvrir qui étaient leurs véritables parents mais le compte rendu qui suivit leur hypnose parlait davantage de leurs père ou mère adoptifs. Se pouvait-il que leurs liens avec ces derniers soient inconscients et que leur quête des parents véritables se situât sur un plan purement conscient? Si nous acceptons que ces expériences de naissance revécues ont une certaine réalité, elles posent une question intéressante : le futur est-il prédestiné? Si mes sujets savaient qu'ils allaient être adoptés, cela était-il déjà planifié? D'après mon étude, oui. Le hasard et l'accident ne semblent pas avoir eu un rôle quelconque dans l'adoption de mes sujets. Un sujet relata une expérience intéressante :

« J'ai choisi mes parents uniquement pour le matériel génétique qu'ils pouvaient me fournir. J'ai choisi mes parents adoptifs en sachant à l'avance qu'ils allaient m'adopter, et parce que j'avais besoin de l'environnement qu'ils avaient à me proposer. J'avais un travail à accomplir dans cette vie, et je voulais que tout soit préparé. » Ce sujet a fait deux fois l'expérience de revivre sa naissance, et il écrivit la deuxième fois :

« J'ai vu que, en mettant au point ma venue au

monde, j'avais prévu d'être un homme. Je pensais choisir le corps de mon frère, qui a dix-huit mois de moins que moi, mais je me suis impatienté et j'ai décidé de venir avant. Ce fut dans un corps de femme. » Ce sujet ne s'est jamais senti à l'aise dans sa féminité et elle a trouvé que ce qu'elle avait vu sous hypnose l'aidait à comprendre pourquoi elle avait du mal à accepter son corps :

« Il m'a semblé que j'avais fait une erreur. Mais c'est bizarre, j'ai été adoptée à l'âge de dix-huit mois, juste après la naissance de mon jeune frère. Nous étions tous deux adoptables, et je ne sais pas pourquoi j'ai été choisie plutôt que lui. Avais-je pu influencer mes parents adoptifs? Je savais avant la naissance que je voulais qu'il m'adoptent. Mais lorsque j'ai perdu patience et que je suis venue dans un corps de femme, j'ai dû, il me semble, arranger certaines choses pour qu'ils me choisissent moi et pas le jeune frère que j'avais originellement choisi d'être. »

Deux des sujets adoptés, qui avaient revu leur naissance, n'avaient pas l'impression d'avoir connu leurs parents adoptifs auparavant. L'un écrit :

« Quand vous avez mentionné mes futurs parents, il m'a semblé que je les connaissais. Ils avaient été des enfants à moi dans une autre vie au cours de laquelle j'avais été très frivole et avais abandonné ces deux enfants très jeunes. Il m'est alors apparu clairement que j'avais choisi de vivre cette époque pour connaître le même abandon de la part de mes parents. Je ne connaissais pas mes parents adoptifs dans une autre vie. Les seules personnes que je connaissais étaient mes parents naturels. Cette vie devait être faite d'expériences nouvelles avec des gens qu'il me fallait conquérir. »

L'autre sujet, qui ne connaissait pas ses parents adoptifs, connaissait son père naturel : « Apparemment, il ne souhaitait pas rester avec ma mère, et je savais que je ne le connaîtrais pas dans cette vie. Il n'était là que pour me procurer un lien génétique. C'est drôle, il me semble avoir connu mon mari dans une vie précédente et nous étions souvent ensemble. Je connaissais aussi beaucoup de mes amis présents, mais pas mes parents adoptifs. »

En somme, les cas des sujets qui avaient été adoptés montrent clairement que les circonstances de leur naissance et de leur adoption étaient connues à l'avance. Et elles étaient choisies avec le même soin que les liens *karmiques*. Il est de plus en plus fréquent que les enfants adoptés recherchent leurs parents naturels. Ils sont souvent curieux de connaître l'apport génétique que seuls les vrais parents ont pu leur procurer. Ils expliquent souvent aux parents adoptifs qu'ils ne les rejettent pas, mais qu'ils essayent de savoir d'où viennent leurs caractéristiques physiques. D'après les résultats des séances d'hypnose, cela semble être le réel but de leur quête.

Nos relations avec les autres dans cette vie ne semblent pas essentiellement fondées sur les liens du sang. Nous pouvons nous sentir plus proche d'un ami que d'un frère ou d'un parent. D'après ce qu'il ressort de mes séances d'hypnose, c'est sans doute parce que nous avons connu ces amis d'une façon plus intime dans une autre vie. Jugeant d'après mes résultats, je peux dire que les liens des vies passées sont plus forts que les liens du sang.

Il me restait à trouver comment je pouvais valider mon expérience. Il me semblait évident qu'à moins de me suicider et d'observer alors ma nouvelle naissance, je ne pouvais pas valider ce que m'avaient dit, d'un commun accord, tous mes sujets. Je faisais tout simplement un sondage. J'espérais atteindre le subsconscient plutôt que les croyances conscientes. Comment faire pour en être certaine? J'essayais bien de ne pas faire cas des comptes rendus où les sujets semblaient avoir une conscience quelconque des réponses qui leur venaient. J'éliminais aussi ceux des sujets qui ne paraissaient pas avoir fait l'expérience de ce stade où on est en contact étroit avec l'inconscient. Pour moi, ce que j'appelle hypnose, c'est le stade altéré de la conscience où le temps n'a plus rien de commun avec ce qu'il nous semble être dans l'état conscient, et où mes sujets répondent aux questions bien plus rapidement qu'ils n'auraient pu le faire dans un état d'éveil normal. D'après ces critères, les comptes rendus qui me restaient avaient été soigneusement sélectionnés. Avais-je un autre moyen de découvrir si ce matériel ne venait pas du conscient? Je savais que les sondages sur des sujets d'ordre spirituel (croyance en la transmission de pensée, connaissance des systèmes de religion hindous, etc.) étaient déjà nombreux. Certains sondages mettaient en valeur des réponses différentes selon que les sujets interrogés venaient de l'Ouest ou de l'Est du pays (1). La différence semblait donc être culturelle. Les gens du Midwest paraissaient s'intéresser beau-

(1) Les U.S.A.

coup moins aux disciplines spirituelles de l'Orient, et à la transmission de pensée. Je décidai de faire une série d'expériences dans le Minnesota, l'Illinois, le Michigan (tous Etats du Midwest), afin de voir si les réponses à mes questions allaient différer de celles que j'avais recueillies dans l'Ouest. Mes sujets de l'Ouest s'étaient présentés à la suite de rumeurs circulant de bouche à oreille : quelqu'un en avait parlé à un ami qui était venu me contacter, etc. Dans le Midwest, au contraire, les gens venaient à la suite de mes interventions à la radio, à la télévision et dans les journaux. Ils étaient seulement intéressés par l'expérience en elle-même, sans aucune préparation préalable. Ceux de l'Ouest avaient, pour la plupart, fait des travaux de prise de conscience, soit sous hypnose, soit avec un groupe de thérapie. Leurs réponses, si elles ne dépendaient que de systèmes de pensées conscients, devaient différer des autres. Je m'attendais à une certaine naïveté de la part de ceux du Midwest, et je fus surprise de constater que j'obtins d'eux les mêmes révélations sous hypnose que chez les autres. Si le recrutement des sujets avait été différent, comme l'avait été l'entraînement, les résultats néanmoins furent les mêmes!

Je calculai les pourcentages des 150 sujets du Midwest et ceux des 600 sujets de la côte ouest. A la question : « Avez-vous choisi de naître? » 64 pour cent des sujets de la côte ouest répondirent oui contre 62 pour cent dans le Midwest. Les chiffres pour les réponses négatives furent de 23 pour cent dans le groupe de la côte ouest, et de 29 pour cent dans le Midwest. Une analyse plus approfondie tend à prouver que ces différences de pourcentage ne peuvent être réellement prises en considération.

A la question de savoir s'ils furent aidés ou non dans cette entreprise, 33 pour cent des cas de la côte ouest et 31 pour cent de ceux du Midwest répondirent que oui. Encore une fois, on ne peut s'arrêter à une différence aussi minime.

Les sujets racontaient la même chose quand ils parlaient de leur naissance quel que soit l'endroit où ils habitaient et quelles que soient leurs croyances religieuses. J'ai pensé alors : Est-ce moi qui peut-être influence ces réponses? Les gens lisent-ils dans ma pensée? Est-ce la raison pour laquelle j'obtiens des réponses semblables? J'ai donc analysé ces statistiques. Il est vrai que c'est l'hypnotiseur qui dirige le sens des questions, et il faut en tenir compte dès qu'on utilise l'hypnose. En répartissant les réponses de mes sujets en catégories, je pus écarter le danger de cette collusion entre mon pouvoir et leur réponse. Par exemple, à la question : « Avez-vous choisi de naître? » j'avais ma propre réponse. J'avais fait moi-même l'expérience de revivre ma naissance et je savais que j'avais eu hâte de naître. Pourtant, la plupart de mes sujets ne furent pas d'accord avec moi. Ils s'étaient montrés beaucoup plus réticents. Ma propre expérience avait été différente. J'avais découvert que d'autres m'avaient aidée à choisir, comme pour la plupart de mes sujets, mais j'étais très heureuse à l'idée de vivre, impatiente de traverser l'épreuve de la naissance et de commencer ma vie. C'est pourquoi, si mes sujets pouvaient lire dans ma pensée, leurs réponses auraient été différentes de ce qu'elles furent.

J'ai tenté de présenter le résultat de mes recherches au lecteur avec le plus de soin possible sans faire intervenir mes propres sentiments. Maintenant, je peux sortir des sentiers du scientifique et de l'objectif et me laisser un peu aller.

9

LES SUJETS DE MES EXPÉRIENCES
RACONTENT :
« CE FUT UNE AVENTURE ÉTONNANTE! »

Le groupe qui répondit à mes questions par des réponses spontanées, mais inconscientes, était composé de personnes variées. Elles venaient aux séances avec leurs propres croyances religieuses et n'auraient sûrement pas accepté, à l'état d'éveil, une question telle que savoir si elles avaient choisi ou non de naître. Leur seule caractéristique commune était d'être ouvertes à une exploration sous hypnose et de s'intéresser à la possibilité de la réincarnation. Dans ce domaine, elles n'avaient apparemment aucun blocage culturel qui aurait pu freiner l'afflux de ces informations.

Plusieurs me dirent que les impressions qu'elles avaient eues étaient en conflit avec leurs croyances conscientes :

« J'ai toujours pensé que les fœtus comprenaient et ressentaient, me dit un sujet. J'ai été très surpris

174

de constater que je n'avais pas passé de temps dans le fœtus. La partie la plus étonnante de l'expérience a été de sentir que, d'une certaine façon, j'avais participé au développement du fœtus. »

D'autres furent tout aussi étonnées. Certaines avaient eu recours à l'écriture automatique et ne connaissaient pas leurs réponses avant de les lire. D'autres dirent avoir été conscientes des réponses qui leur venaient à l'esprit, mais elles les avaient chassées dès leur réveil :

« Je pensais sans arrêt que ce que je racontais n'avait aucun sens, mais les réponses continuaient de m'arriver très vite dès l'énoncé de vos questions. Il me semble que si j'avais eu le temps d'y réfléchir, j'aurais répondu tout autrement, ce que j'ai dit étant en contradiction avec mes convictions personnelles. » Cette femme avait violemment pris position contre l'avortement, et elle fut d'autant plus surprise de voir que l'âme ou l'esprit qu'elle avait été, s'était montrée tout à fait réticente à naître.

La grande majorité de ceux qui me confièrent leurs impressions après l'expérience me dirent leur étonnement et assurèrent qu'il leur faudrait du temps pour « digérer » tout cela. Mais il y avait un groupe qui ne gardait aucune impression; c'était très décevant. Beaucoup étaient venus dans l'espoir de trouver des réponses à mes questions. Certains avaient des idées bien précises quant aux personnes qu'ils auraient pu connaître dans une vie antérieure. Beaucoup pensaient que revivre leur naissance sous hypnose ne leur poserait aucun problème. La certitude leur en était venue après la première séance sur les vies antérieures, au cours de laquelle 95 pour cent des sujets répondirent à mes demandes. Aussi, lorsque certains se réveillèrent sans aucun souvenir, avec seulement l'impression d'être allés trop loin, j'ai d'abord pensé que c'était à cause des deux hypnoses successives de la journée et que la troisième induction les avait tout simplement endormis. J'ai donc fait quelques expériences, avec d'autres groupes, où je faisais expérimenter d'abord le voyage vers la naissance. Mais l'ordre des inductions hypnotiques ne changea rien. Peu importait à quel moment je les hypnotisais, ou le nombre d'expériences semblables qu'ils avaient déjà connues, environ 52 pour cent de mes sujets ne trouvèrent pas de réponse à l'expérience de la naissance. Parmi eux, 40 pour cent déclarèrent être allés trop profondément dans l'hypnose. Ils avaient vu des couleurs passer devant leurs paupières closes tandis que je les faisais descendre à un rythme de cinq amplitudes par seconde. Il n'y avait pas de consistance dans la couleur, chacun en voyant une différente. Mais ce phénomène s'est répété très souvent :

« Je voyais des couleurs grises et pourpres qui s'effaçaient, puis de l'orange vif, me dit un des sujets. Ensuite je ne me souviens plus de rien jusqu'à ce que je vous entende parler d'une boule d'énergie qui revient dans l'espace. »

La plupart des sujets qui sont entrés dans ce qu'ils appellent le sommeil, et que moi j'appelle « le stade des ondes delta », entendirent ma voix les sortir de l'hypnose. S'ils avaient été profondément endormis et n'écoutaient pas ma voix, comment savaient-ils qu'il fallait se réveiller? Il est vrai que certains ne se réveillèrent que lorsque la pièce fut rallumée, mais ceux-là étaient une faible minorité. Il semble donc que les autres entendaient ma voix et que, pour une raison quelconque, ils ne pouvaient participer à ce voyage. J'essayai d'en découvrir les causes. Si c'était le fait d'une troisième hypnose, alors ils se seraient tous « endormis » au moment où j'évoquais les photos de leur enfance. Mais je remarquai que presque tous ceux qui s'endormaient se souvenaient très bien de leurs photos d'enfance. Certains considérèrent même que les pensées provoquées par la vue de ces photos les avaient détournés du reste du voyage :

« J'étais tellement fascinée par ces photos que ce que vous disiez semblait aller ailleurs. Je prenais conscience de savoir peu de choses de moi et je ne pensais qu'aux potentiels passés que je n'avais pas exploités. Tout cela m'emporta loin de tout et ce dont je me souviens ensuite, c'est d'avoir entendu votre voix compter pour nous réveiller. »

D'autres sujets firent la même expérience. C'était comme si l'idée de se revoir enfant absorbait leur attention à l'exclusion du reste de mes instructions. Certains autres sujets qui s'étaient endormis étaient demeurés conscients d'une certaine activité mentale pendant leur sommeil :

« Les pensées me venaient à l'esprit, et je savais que j'étais là pour quelque chose mais je ne savais plus pour quelle expérience. Je n'entendais pas votre voix. »

Environ 12 pour cent de la totalité de mes sujets dirent être restés tranquillement allongés sans s'être endormis, avoir entendu toutes mes questions, mais rien ne leur venait à l'esprit lorsqu'il s'agissait d'y répondre. Exemple typique de ce groupe, un sujet m'a dit :

« J'étais tellement anxieux de trouver des réponses! Mais quand vous posiez des questions, c'était comme si un mur blanc tombait devant mes yeux. »

Je trouvais ce phénomène très intéressant. Je me demandais si ces sujets étaient tout simplement fatigués d'avoir été hypnotisés et d'être allongés par terre, ne pouvant ainsi revivre leur naissance alors qu'ils avaient revu leurs vies antérieures. Je ne voyais pas d'autre moyen de le vérifier que d'inverser l'ordre des « voyages » en arrière. Même en changeant l'ordre des voyages hypnotiques, j'arrivais au même pourcentage de sujets sans réponse, n'ayant pas non plus été endormis.

Que se passait-il? Si la vie antérieure est un fantasme, et le voyage vers la naissance également, pourquoi l'un serait-il plus difficile à réaliser que l'autre? Au moins, mes sujets avaient la certitude d'être nés même s'ils doutaient d'avoir eu des vies antérieures! Pourquoi donc est-ce que je n'obtenais que la moitié des réponses en ce qui concernait la naissance alors que j'en obtenais 95 pour cent pour les questions sur les vies passées?

C'est en discutant avec ceux qui avaient répondu et ceux qui n'avaient rien tiré de leur expérience, que je sentis la différence entre les deux groupes. Il semblait que ceux qui trouvaient des réponses avaient davantage de connaissances spirituelles que les autres. Beaucoup d'entre eux avaient fait l'expérience de la méditation transcendantale, avaient médité seuls ou avaient fréquenté des groupes de prière quelconques. En un sens, il s'agissait de vétérans à l'éveil de la conscience. Etait-ce à cause d'une similitude de structure mentale que j'obtenais des réponses parmi ceux qui pratiquaient la méditation? Pourtant, la différence était grande entre les chrétiens, les « contemplatifs », ou les adeptes du yoga. La différence venait-elle de ce qu'ils étaient plus familiarisés avec l'exploration de la partie droite de leur cerveau? Est-ce que je mettais à jour un système de croyance commun à eux tous sans qu'ils le sachent?

Ce n'était pas facile à tester. D'un côté, les sujets cultivés, et informés des différents stades de la conscience, ne me donnaient que des réponses reflétant leur croyance en la réincarnation et la renaissance. De l'autre, ceux qui avaient entendu parler de la réincarnation mais qui avaient peu de pratique des disciplines spirituelles et qui, peut-être, ne partageaient même pas une croyance établie. Bien qu'il me semblât impossible d'ôter de leurs réponses toute trace de conviction personnelle, je pensais que ces réponses relatives à la période de l'entre deux vies et à la naissance, devaient être beaucoup plus diverses qu'elles ne le furent sous hypnose.

Il arrivait souvent, dans mes groupes, qu'après l'expérience de la naissance, chacun soit persuadé d'avoir donné une réponse unique et tous se demandaient où ils avaient bien pu la trouver. La plupart furent étonnés d'apprendre que leurs réponses étaient semblables à celles que j'avais déjà obtenues. La surprise était plus grande chez les sujets qui avaient exprimé leur répugnance à vivre de nouveau. L'un d'eux me dit :

« J'ai toujours pensé que c'était une chance énorme d'être au monde, et j'aimais la vie. J'ai été très choquée de découvrir que je ne voulais pas naître. Est-ce que je suis la seule dans ce cas? » Je l'assurai que c'était une réaction banale et elle en fut à la fois soulagée et déçue. Le plus surprenant de la part de mes sujets fut l'intensité d'émotion exprimée pendant l'expérience de la naissance. Cela demande quelques explications, et j'espère que le lecteur me suivra dans l'explication de mes découvertes au cours de ce stade de conscience altérée que nous avons appelé « hypnose ». Je crois essentiellement que l'état des gens qui sont « hypnotisés » est une variante du sommeil. Il est très facile de les mettre dans cet état caractérisé par des mouvements rapides des yeux, et qui représente la période la plus superficielle de notre sommeil, celle des rêves. Dans cet état de rêve, les gens semblent développer l'activité de leur cerveau droit. Et tandis que l'hémisphère droit s'active à envoyer des souvenirs sensoriels, il se passe quelque chose dans le système nerveux. Les muscles sont détendus, indiquant qu'il n'y a qu'une petite quantité d'adrénaline qui traverse notre système nerveux, et le corps n'est plus alors dans son état normal de vigilance. La réaction aux stimuli extérieurs est réduite et l'esprit se concentre sur la voix (ou les pensées?) de l'hypnotiseur. Lorsque les muscles du corps sont relâchés, le cerveau droit enregistre beaucoup plus facilement des données qui lui viennent des organes internes. Certains sujets sentaient leur cœur battre et m'ont donné à penser qu'ils se trouvaient à un stade élevé de réaction émotive, à la fois d'après les impressions qu'ils recevaient et les réponses de leurs organes à ces impressions. J'ai été frappée par la similitude entre ce stade et celui de nos rêves. Beaucoup d'entre nous peuvent se souvenir de fortes émotions provoquées par nos rêves entraînant parfois des réponses physiques à notre réveil. Il se peut que ce qui nous semble être un « cauchemar » soit en fait un état où notre corps est tellement stimulé par le rêve, qu'il passe de l'état de concentration sur les organes où il était à celui d'une poussée soudaine d'adrénaline qui fait réagir brutalement notre système nerveux. C'est sans doute pourquoi nous nous réveillons après de tels rêves, et que nous semblons nous en souvenir mieux que des rêves qui n'ont aucun contenu effrayant. Il semble que lorsque l'adrénaline envahit notre corps, accroissant le rythme cardiaque et tendant les muscles, elle amène le cerveau gauche à une certaine conscience. Et lorsque nous fonctionnons avec notre hémisphère gauche, nous sommes ce que nous appelons « éveillés ». Donc, quand des rêves effrayants nous réveillent, il semblerait que ce soit en faisant passer le sang et le système nerveux des organes internes au système musculaire du squelette. C'est l'émotion provoquée par la peur qui engendre cette poussée d'adrénaline qui nous réveille.

Ces réponses de l'adrénaline aux stimuli émotifs ont été longuement étudiées dans les laboratoires. Ce que nous n'avons pas fait, c'est appliquer cette connaissance aux stades de conscience que nous appelons communément le « sommeil ». Si l'on considère que j'ai vraiment exploré une variante du sommeil en faisant s'allonger mes sujets sur le sol, en leur demandant de fermer les yeux et de se concentrer sur mes questions, parvenant ainsi à un mouvement d'yeux rapide, alors j'avais une chance inespérée de vérifier certaines des émotions que nous éprouvons en dormant. J'avais découvert plus tôt, au cours de ma pratique thérapeutique, que les rêves qui font peur sont ceux dont on se souvient le plus facilement. Les rêves au cours desquels les émotions sont plus diffuses ou plus plaisantes exigent un effort supplémentaire pour être mémorisés. D'ailleurs, tous les sujets qui se sont endormis au cours de mes expériences d'hypnose se sont réveillés avec des impressions très agréables. C'était en partie parce que je les avais assurés qu'ils allaient se sentir particulièrement bien à leur réveil, mais en même temps, leur expérience continuait malgré les instructions de l'hypnotiseur. J'ai aussi tendance à m'endormir lorsque j'écoute mes propres inductions au magnétophone. Et lorsque je fais ces sommes réparateurs en écoutant ma bande, je ne me souviens que de fragments de ce que j'entends. Je sens presque toujours une sorte de flottement qui précède les images de ma vie présente. Les émotions avec lesquelles je me réveille semblent être une parcelle de ce que j'ai expérimenté en étant « profondément endormie ». Si l'on compare le somme effectué en écoutant la voix d'un hypnotiseur à celui que l'on fait parfois au milieu d'une journée, le premier est beaucoup plus réparateur. Il me semble, d'après mes propres expériences, que c'est parce que mon esprit continue de se préoccuper des problèmes courants. Sous hypnose, je me laisse aller à des stades plus profonds et ainsi les rêves sont à la fois moins précis et plus plaisants. Cela, confirmé par la majorité de mes sujets, peut parfois les mettre en colère parce qu'ils ont l'impression d'avoir « raté » leur voyage hypnotique, mais le besoin de faire l'expérience de ce sommeil réparateur et plaisant est parfois plus fort que le désir conscient d'aller jusqu'au bout du voyage. C'est vrai qu'il me faut davantage de temps pour les sortir de l'état hypnotique que pour les mettre dans l' « état des mouvements rapides d'yeux ». Il m'est arrivé de dire, tandis que mes sujets sont sous hypnose et que je sais qu'ils sont profondément « endormis » :

« Vous payez cher cette séance d'hypnose, vous allez donc suivre ma voix et vous allez pouvoir répondre à mes questions. » Je leur dis aussi que quels que soient la profondeur de leur sommeil et le plaisir qu'ils y trouvent, quand je dirai le mot « maintenant », ils se réveilleront. Beaucoup m'entendent dire : « Maintenant », mais retournent à leur sommeil.

A quoi correspond cet état plaisant? Mes sujets sont aussi hésitants à répondre que moi-même :

« Je ne sais pas où j'étais mais c'était très agréable! » dit la majorité d'entre eux. Les émotions provoquées par ces séances sont des émotions plaisantes. Et les déplaisantes? Ma longue expérience de psychothérapeute m'a appris que la plupart des choses que nous « oublions » sont des épisodes pénibles du passé que nous préférons ne pas avoir en mémoire. La lecture de Freud, dans *Psychopathologie de la vie quotidienne*, nous apprend que nous oublions de préférence les rendez-vous chez le dentiste plutôt que les invitations à des dîners. Les incidents traumatisants de notre passé sont en général enterrés, et c'est bien qu'il en soit ainsi. Nous sommes suffisamment occupés avec notre vie de tous les jours, ses joies et ses combats, sans avoir à fouiller notre passé à la recherche de tristes expériences. Les systèmes thérapeutiques disent que si le traumatisme est important, il y a de fortes chances pour que nous l'oubliions, mais que ses effets continueront à influencer notre inconscient et développeront des symptômes névrotiques pour tenter de contrôler les émotions qui refluent.

C'est pourquoi les techniques telles que l'hypnose peuvent être dangereuses. Notre subconscient se dévoile en répondant aux questions, et il est toujours possible que certains incidents du passé reviennent à la surface. Nous savons tous que nos rêves, la nuit, sont le reflet de ces traumatismes. Les soldats revenus du Vietnam ont affirmé ne plus rêver que de ce qu'ils avaient vécu là-bas. Il semble que, lorsque nous souffrons d'un traumatisme, nous ayons la possibilité de bloquer notre moi conscient. Seul alors, le surmoi continue à travailler ce problème pour tenter de coopérer avec lui. Le risque que mes sujets expérimentent des émotions désagréables subsiste, et je pense qu'il est très important de leur dire que leur subconscient va automatiquement enlever le souvenir de tout traumatisme. Ainsi, si mes sujets se trouvent confrontés à des émotions désagréables, ils seront renvoyés au sommeil, ou à des images d'une autre vie. Je leur dis aussi que si l'expérience de la mort leur semble en quoi que ce soit insupportable, ils se verront éloignés du sujet. Certains s'endorment alors profondément et n'entendent plus mes questions. Ils sont toujours étonnés d'apprendre par la suite qu'ils se sont endormis au moment où je leur disais d'éviter toute émotion désagréable. Apparemment, le subconscient répond à mes suggestions.

Ces barrières de sûreté sont indispensables à ce

genre d'expérience. J'ai entendu parler de thérapeutes qui se sont penchés sur le problème des vies passées d'une façon un peu légère : leurs sujets en furent parfois affectés des mois durant. C'est comme si le matériel enterré émergeait à notre conscience au cours de l'hypnose, puis continuait d'obséder le sujet. Ils rêvent ensuite de leur traumatisme et leur conscience est envahie de souvenirs et de sensations. Cela n'a pas toujours un effet négatif. De la même manière qu'une personne peut, en psychothérapie, retrouver un souvenir d'enfance qui était la cause de ses peurs et de ses phobies, ces sujets peuvent parfois mieux coopérer avec ces traumatismes quand ceux-ci sont devenus conscients. Comme pour une thérapie, cela prend du temps. Il faut aussi la présence d'un thérapeute patient et compréhensif qui puisse se servir des émotions découvertes sous hypnose.

Il est toujours difficile de travailler sur ses sentiments profonds, et tous, nous l'évitons plus ou moins consciemment afin de ne pas altérer notre efficacité quotidienne. Mais que faire des émotions rencontrées par mes sujets au cours de l'expérience de la naissance? Il y a actuellement une école de pensée en psychothérapie qui est centrée sur cette expérience de la naissance, à cause justement de ces émotions désagréables. C'est ce que Arthur Janov a appelé « le cri primal ». Arrivons-nous réellement au monde en criant? L'origine de la plupart de nos sentiments d'insécurité réside-t-elle dans le fait que nous soyons propulsés dans ce monde?

Vous savez maintenant combien la plupart de mes sujets étaient peu disposés à entreprendre de nouveau la tâche de vivre; ce sont là des émotions négatives. Les sujets qui avaient dormi, évitant ainsi de répondre, cherchaient-ils aussi à éviter la douleur de la naissance?

C'est pour tenter de répondre à cette question que j'ai utilisé une technique différente sur quelques groupes. Après leur avoir demandé de regarder leurs photos d'enfance, et les avoir « sortis de leur corps », je leur demandai de répondre à cette question :

« Etes-vous prêt à découvrir vos expériences avant la naissance? La réponse oui ou non va vous venir immédiatement à l'esprit. » Certains sujets répondirent non et se rendormirent. D'autres dirent avoir eu les deux réponses, indiquant ainsi qu'ils pouvaient se souvenir de certaines parties de l'expérience mais non d'autres. Un sujet me dit :

« Quand vous avez posé cette question, j'étais conscient que ce n'était pas sans problème que je pouvais mémoriser ma naissance, mais il m'est venu à l'esprit que je n'étais pas censé me souvenir de ce qui s'était passé avant. Il m'a semblé que je n'étais pas prêt. »

Les sujets qui avaient dit oui ont tous répondu à mes questions et ce sont les comptes rendus de ce groupe que vous avez lus. Leur inconscient leur avait, en quelque sorte, donné « la permission » de se souvenir. Les sujets qui ont fait deux fois l'expérience de la vie, au cours de deux séances différentes, ont remarqué qu'ils obtenaient davantage d'informations lors du second voyage que du premier. Comme s'ils s'étaient ouverts pendant les mois qui séparaient ces expériences.

« A ma première expérience de la naissance, j'ai

trouvé les réponses concernant ce qu'était la naissance. Mais je ne savais pas grand-chose de ceux que j'avais connus dans d'autres vies ni pourquoi j'étais là. A la deuxième séance, j'ai trouvé davantage de réponses. D'ailleurs, depuis la première séance d'hypnose, j'avais fait des rêves intéressants concernant mes vies passées. C'est ce qui m'a incité à tenter de nouveau l'expérience. »

La chose la plus étonnante dans ce voyage de la naissance, c'est de voir le regard égaré des sujets à leur réveil. Ils posaient souvent des questions dont ils voulaient débattre avec moi, après les deux premières séances. Mais après celle de la naissance, ils avaient l'air déprimés et songeurs, et n'en posaient plus que rarement. Peut-être parce que beaucoup d'entre eux s'étaient endormis. Mais ils remplissaient les feuilles de comptes rendus très calmement. Je leur demandai ce qui s'était passé au cours de ce voyage :

« C'est difficile à décrire, m'expliqua un sujet. Je me sens très ému, mais mes sentiments ne sont pas explicables. C'est comme si j'avais fait un très long voyage dans une partie étrange de mon esprit. Je n'avais pas si peur que cela, tout au moins pas autant que je l'attendais. Je ne voulais pas vraiment naître, venir au monde, parce que je pensais que c'était physiquement douloureux. J'éprouvais surtout de la compassion, non seulement pour ce qui allait être moi, mais aussi pour ma mère et tous ceux qui étaient dans la salle de travail. C'était comme si je quittais un merveilleux endroit où tout m'était accessible, pour arriver dans un monde clos. Je connaissais tous les problèmes qui allaient surgir et je pensais au gâchis de tous ces humains qui ne savaient rien. » Mon sujet rit un peu et ajouta : « Je sais que ce que je dis est bizarre, ça l'est pour moi aussi. Sous hypnose, il m'était parfaitement clair que, être dans un corps, c'est se couper de notre vrai moi et du savoir que nous possédons lorsque nous n'avons pas de corps. Je sais que je devais faire de nouveau cette expérience de la vie mais je ne sais pas pourquoi. Mais la vraie tragédie c'était que ni ma mère ni les médecins qui l'entouraient n'avaient l'air de savoir ce qu'était la vie. »

Beaucoup de sujets exprimèrent les mêmes sentiments. Certains dirent :

« Des larmes coulaient sur mes joues lorsque vous avez demandé de revoir le moment où fut prise la décision de naître. Il ne s'agissait pas tant de tristesse, parce que je ne me sens pas triste maintenant que je suis éveillé, c'était plutôt dur. Vivre dans un corps est une expérience difficile. »

D'autres encore me dirent qu'ils étaient plus calmes et songeurs à cause de ce qu'ils avaient pu apprendre sous hypnose de leurs relations actuelles :

« Je me suis sentie tout à fait consciente d'avoir des liens *karmiques* avec ma mère. Je n'ai jamais compris qu'elle m'ait rejetée mais il me semble le comprendre maintenant. J'ai pris un corps cette fois-ci pour compenser tout ce que je lui ai fait dans une vie passée et pour l'aider à mieux voir et comprendre. »

Un autre sujet me dit :

« Je comprends maintenant pourquoi mon père me fait si peur. Il ne m'a encore rien fait de spécial dans cette vie mais je redoute ce qu'il m'a fait dans une vie précédente. Je comprends maintenant que le problème n'est pas tant mon père que la peur que j'ai de lui. »

Pour certains, il était très difficile de parler de leurs expériences car ce qu'ils avaient vu dans ce voyage hypnotique leur semblait trop personnel :

« C'est étrange de voir la compassion que j'éprouvais pour l'enfant qui était moi. Je ne sais pas pourquoi mais je suis très émue et je ne veux pas en parler. Je ne me sens pas mal, le problème n'est pas là. Je n'ai ni chagrin ni frayeur. Mais c'est comme si je voyais tout sous une lumière nouvelle. Je n'oublierai jamais cette expérience. »

C'est ce que beaucoup exprimèrent. Il semble que ce voyage de la naissance, comme me l'ont dit certains, pouvait changer leur vie. Il leur était devenu plus facile de vivre et de comprendre leur vie maintenant qu'ils en avaient compris le but. Ils se sentaient plus proches des autres. En prenant conscience de ce qu'ils cherchaient dans la vie, ils ont plus aisément aplani les difficultés quotidiennes. Pour d'autres, cette expérience avait servi à les mettre en contact avec leur inconscient :

« Je sens maintenant plus de contrôle sur moi-même. Je ne prends plus les petits événements de chaque jour avec le même sérieux. J'ai une perspective différente et une plus grande sérénité intérieure pour affronter les hauts et les bas de la vie. »

J'étais, bien sûr, très heureuse de voir ce genre de réaction, mais il me semblait tout de même que la majeure partie de leur prise de conscience venait d'une évolution normale et non pas de ce que j'ai dit ou fait. Je suis certaine que ces gens sont venus faire mes expériences parce qu'ils étaient à un moment de leur vie où ils étaient prêts à cela. Ils ont utilisé mes inductions et mes questions pour s'ouvrir davantage. Une autre expérience aurait pu avoir le même résultat. Je ne pense pas qu'il y ait une magie quelconque dans l'hypnose : elle est dans chacun de nous, prête à se manifester.

En écoutant les explications de mes sujets quant aux changements survenus dans leur vie à la suite de nos travaux, je pensai une fois de plus au bouton de rose fermé. Aucune rose ne peut s'ouvrir avant d'être prête à le faire. Le parfum qu'elle renferme reste à l'intérieur jusqu'à ce que les pétales aient atteint une certaine dimension. Puis un jour, le soleil brille très fort et les pétales sont prêts à répondre à sa chaleur; alors ils s'ouvrent. La magie est-elle dans le soleil? La magie est dans la rose elle-même, dans sa lente évolution et son épanouissement graduel. Lorsque la rose est prête à s'ouvrir, elle se tourne d'elle-même vers le soleil.

Editions J'ai Lu, 31, rue de Tournon, 75006 Paris

diffusion
France et étranger : Flammarion, Paris
Suisse : Office du Livre, Fribourg
Canada : Flammarion Ltée, Montréal

Achevé d'imprimer sur les presses de l'imprimerie Brodard et Taupin
7, Bd Romain-Rolland, Montrouge. Usine de La Flèche,
le 11 août 1980
1887-5 Dépôt Légal 3e trimestre 1980 ISBN : 2 - 277 - 51380 - 6
Imprimé en France